JN066354

談論風発 琉球独立を考える

歴史・教育・法・アイデンティティ

前川喜平
松島泰勝
［編著］

明石書店

まえがき――「居酒屋独立論」から「科学的独立論」へ

なぜ琉球（沖縄）で日本からの独立が活発に議論されるようになったのだろうか。「沖縄から日本がよく見える」、「沖縄は日本を写す鏡である」とよくいわれる。新型コロナウイルス問題発生後、日本政府の独裁体制化、軍国主義化が露になったが、辺野古新基地問題のように、それは琉球に対しては先行した形で発動されていた。琉球独立論は日本政府への抵抗として提示されてきた議論であり、琉球独立の根拠は日本政府の琉球に対する植民地支配と脱植民地化運動にある。本書は日本政府批判の書であり、戦前であったら、発禁処分を受けていたかもしれない。日本が戦前のような社会にならないようにとの願いを込めて、敢えて本書を世に問うことにした。

独立運動には、政治経済的、社会的、思想・文化的な側面がある。独立が実現する上で土台になるのが社会的、思想・文化的な側面である。たとえ政治経済的に宗主国に大きく従属し、独立後、経済的な困難が予測されていても、独立運動が大きく盛り上がり、独立が実現する場合が多い。それは植民地支配による「人間否定」の状態から脱したいという、人の存立に関わる根源的な欲求が独立運動を推し進めてきたからである。独立運動において、社会的、思想・文化的な活動や表現が先行的に現れてくると考えていい。本書は、琉球独立の軸になる部分に特に焦点をあてて検討を行なった。

本書は、これまでにない多様な視点から論じた、極めて、具体的で、斬新な琉球独立論である。文部科学省事務次官をつとめ、現在は自主夜間中学で教えられている前川喜平さん、太平洋島嶼と琉球の平和や独立を研究されてきた佐藤幸男さん、アイヌや琉球人を中心にして先住民族の権利回復の研究や社会運動の第一人者である上村英明さん、日本や日帝植民地における国籍・戸籍問題や日本国のあり方を研究されてきた遠藤正敬さんと対談、鼎談を行なった。これまでの琉球独立論では掘り下げられることが少なかった論点を明らかにした。その結果、琉球独立を、琉球の将来における有効な政治的選択肢として提示することができたと考える。琉球独立論は、これまで「居酒屋独立論」といわれることもあったが、独立を客観的、具体的、国際的に研究する「科学的独立論」という近年の研究動向のなかにおいても、本書は一石を投じることになるだろう。

かつて琉球は独立国であり、1879年の日本政府による琉球併合（併呑）によって日本の植民地になり、今にいたっている。戦後、さまざまな国が世界で生まれていくなかで、未来永劫、琉球が沖縄県として日本の一部であり続けるという保障はどこにもない。本書では、パラオ人、アイヌ、スコットランド人（スコッツ）、ニューカレドニアのカナク人、グアムのチャモロ人、「満洲国」の「五族」、イヌイットやサーミ等の欧米諸国の先住民族等、世界各地のさまざまな人びととの事例比較を通じて、琉球独立の具体的な可能性を論じた。

私は2010年以降、「琉球独立論」を一つの学問分野として研究してきた。前川さんと琉球独立について意見を交換したいと思ったきっかけは、2019年4月1日の『琉球新報』に掲載された前川さんの次のような発言を読んだことであった。「私はね、ここまできたら沖縄は本当に独立を考えてはどうかと言いたい。琉球共和国をつくるなら私も国民として参加する。ここまで中央政府から無視され、踏みつけられて。安倍政権は言葉だけは真摯に受け止めると言っているけど、民意を踏みにじっている」。

日本政府、特に安倍政権と命がけで闘ってこられた前川さんと、琉球独立について議論することによって、新たな琉球独立論が提示できるのではないかと考えた。「政治による教育への介入」によって、竹富町に右翼的な教科書が強制的に押しつけられようとしたとき、前川さんは文科省官僚として、竹富町の方々の意向にそうように「島の教育権」を守って下さったが、本書でその「面従腹背」について詳しく話していただいた。八重山諸島の教科書採択問題は、日本政府による琉球に対する植民地支配が具体的に現れた案件である。竹富町の抵抗と教科書の独自採択は、同町の脱植民地化運動として位置づけることができる。

琉球の島々において、このような草の根的な脱植民地化運動が積み重なることによって、琉球独立が実現するのである。革命のように一気に琉球が独立するのではない。日本政府に対する「不屈」の抵抗運動の蓄積が独立には不可欠であり、それは琉球独立後も各地域における自治力の基盤になるだろう。独立によって琉球が抱える全問題が解決されるのではなく、琉球社会各地におけるさまざまな脱植民地化運動が拡大することによって独立という政治的地位の変更が可能になるのである。

前川さんとの対談では、独立前に琉球独自の教育を行う方法として教育課程特例制度の活用が議論された。独立前に活用できる既存の諸制度が存在しており、それを実践することが具体的な独立に結びつくのである。日本政府の法制度を熟知する前川さんのご提言には大変説得力がある。

佐藤幸男さんとは、私が学生時代から太平洋島嶼や琉球において共同研究をさせていただいた。本書では特にフランスの植民地であるニューカレドニアと琉球との比較を通じて、島嶼独立の可能性と課題について鼎談した。現在、世界では独立を問う住民投票によって平和的に独立を実現することができる。人口が1万人弱、数万であっても国際社会は民族自決権に基づく住民投票による独立を認めているのである。２０１８年11月、ニューカレドニアは独立を問う住民投票を行なったが、その社会的背景、今後の展望、琉球独立に与える影響等について議論した。ニューカレドニアの先住民族であるカナク人に対する人種差別的対応が独立運動の最大の動因となった。長いフランスによる植民地支配に対する「痛み」のなかで最も堪えがたいのは、カナク人が１８８９年に開催されたパリ博覧会の「人間動物園」で見せ物にされたことであるという。琉球人も同様に、１９０３年に大阪で開催された内国勧業博覧会の「学術人類館」において見せ物にされた。

日本政府は、琉球に対する加害意識が欠落し、米軍基地を押しつけ、民意を無視して辺野古新基地を建設するなどの植民地政策を実施している。そのため、一層、独立への渇望が琉球において生まれてきたのである。琉球差別は琉球併呑から現在までその本質は変わらず、かえって強化されてきているといえる。

１９９６年、上村英明さんが代表をつとめる市民外交センターのメンバーとして、私は国連人権委員会先住民作業部会に、琉球先住民族として参加し、国際法に基づいて琉球における植民地支配を批判する報告を行なった。その後、琉球人は国連の諸委員会に毎年のように参加し、「市民外交」を行なってきた。その結果、２００８年から２０１８年まで国連の諸委員会は、琉球人が先住民族であること、米軍基地の集中は人種差別であること等の勧告を日本政府に行なった。本書では、アイヌ民族との比較を通じて、琉球人が先住民族であることを歴史的、社会的、国際法的に明らかにした。また世界の先住民族による権利回復運動の先行事例が、琉球にとってもつ意味について考えた。

私は「琉球民族遺骨返還請求訴訟」（2018年12月、京都地裁において琉球人遺骨返還を求めて京都大学を提訴した）の原告団長である。鼎談では、琉球人遺骨を京都大学の研究者が盗掘し、現在も返還しないことの歴史的、社会的背景、「学知の植民地主義」をアイヌ遺骨盗掘問題と比較して論じた。先住民族の遺骨を盗掘し、それを返還しないことは、アイヌ、琉球人差別そのものであり、遺骨の返還運動は脱植民地化運動となる。またアイヌ語の継承、「国語」の問題、皇民化教育等についても議論した。

私は遠藤正敬さんの『戸籍と国籍の近現代史――民族・血統・日本人』（明石書店）を読んで、鼎談にのぞんだ。「満洲国」の国籍問題を踏まえながら、琉球共和国の国籍、国民、公用語のあり方を論じた。そのなかで近代国民国家を乗りこえる、新しい国のあり方が提示された。自民族中心主義の日本の国籍制度から脱却して、「イチャリバチョーデー（出会えばきょうだいという意味の琉球の諺）」に基づく、多様なルーツによる「国民」形成の可能性について検討した。そして「琉球共和社会憲法試案」を踏まえて、琉球共和国の「国民」の輪郭を明らかにした。多重国籍をみとめ、多様なアイデンティティをもつ人びとが平等な資格で参加する、「国ではない国」の形成が、国境の意味が薄れた現在において可能になるだろう。

琉球人のアイデンティティを問うことは、日本人のアイデンティティを明らかにすることでもある。なぜなら琉球人は日本人とは異なる民族（人民）であるからである。読者は本鼎談を通じて、日本国の戸籍・国籍制度の問題性を認識したうえで、人間として解放される、新たな日本国、国民のあり方を展望することもできるだろう。

「琉球」の「独立」を考えることで、「日本」の「本当の独立」について問うことにもつながる。太平洋戦争で日本は米国を中心とする連合国に負け、その後、政治経済的、社会的に日本は米国に従属するようになった。読者は、琉球独立について考えながら、同時に、日本は本当に独立しているのかどうかを自問して欲しい。琉球独立運動が激しくなった最大の要因は、米軍基地問題である。琉球では日常的にさまざまな基地問題が発生している。近年では、米軍基地周辺の河川や井戸水から高濃度の有機フッ素化合物という、発がん性の物質が検出されたという事件が注目を集めている。それは米軍が使う泡消火剤が汚染源であるとされているが、加害者である米軍はこの問題に関して住民に説明をしようとしない。それは地域の浄水場にも混入し、住民の飲料水を汚染しており、身体への影響が懸念されている。２０２０年4月10日には普天間基地から住宅地に大量の泡消火剤が放出されたが、事故原因について米軍側からの説明はなかった。米軍は汚染物質の除去・補償等の責任も免れている。有毒物質を住宅地に流出させても罰せられることもない。その原因は、「現代の不平等条約」である「日米地位協定」を日本政府が米政府に「忖度」して改正しようとしないからである。米軍基地の存在は、日本の米国への従属性を明示する証拠物件である。日本が本当に独立していないがゆえに、琉球に対する植民地支配の強度が増し、琉球独立運動を促す結果をもたらしている。

本書では琉球独立に関する経済的検討があまりなされなかったが、ご関心があるかたは私の『琉球独立への経済学』（法律文化社）、『琉球独立宣言』（講談社文庫）、『琉球独立』（Ryukyu企画）、『琉球独立論』（バジリコ）等をあわせて読んで下さると有り難い。

また前川さん、佐藤さん、上村さん、遠藤さんとの対談、鼎談をコーディネートされ、本書の編集をして下さった、黒田貴史さんに心よりお礼申し上げたい。

日本本土において、井上ひさし『吉里吉里人』（新潮文庫）のような独立を構想した小説はあるが、具体的に日本国から独立することを前提にした議論、研究、社会運動が見られるのは琉球（沖縄県）しかない。それはなぜか。1879年に明治政府によって軍事侵略されるまで、琉球は日本国とは異なる国、琉球国であったからである。このような歴史的事実がある限り、琉球が独立するまで「琉球独立論」はいつまでも提示され続けるだろう。本書が琉球独立までの期間を少しでも早めて、いま日本政府が「島嶼防衛」として進めている「第二の沖縄戦」をくい止め、琉球における植民地支配に終焉をもたらすことに少しでも貢献できたら幸いである。

2020年5月

松島泰勝

目次

Ⅲ 近代の学問が生んだ差別――アイヌ・琉球の遺骨問題と国際法　上村英明×前川喜平×松島泰勝……115

Ⅳ 独立琉球共和国の憲法問題——国籍・公用語をめぐって

Ⅰ　琉球独立論にいたる道——沖縄・日本・教育

前川喜平×松島泰勝

独立論を唱える動機になった原体験

前川喜平　松島さんがそもそも独立論を唱えるようになった原体験があるはずです。それをうかがえますか。

松島泰勝　私は、もともと自分は日本人だと思っていました。小学校3年のときに、教員から方言札を掛けさせられました。それ以降、ウチナー的な、沖縄的なものは劣っていて、日本的なものにがんばって追いつこうという潜在的な気持ちをもってしまいました。ところが、大学にはいって東京にいくと、「君は日本人ではない、沖縄の人だ、または外国人だ」という扱いを受ける。あなたは私たちの仲間ではないという扱いをいろいろなところで受けました。そこから自分は何者なんだろうと、考えはじめました。

前川　たとえばどんな体験をされましたか。

松島　大学のサークルで、「私は沖縄県から来ました」、と自己紹介をすると、もうグッとみんなこちらを見るわけです。沖縄県から来たというだけで、好奇な目で見られてしまう。それが非常にショックだった。想像もしていませんでした。それから、私が日本語をしゃべっても、「どこの国からきましたか」という反応をされてしまう。私の話し方がおかしいんでしょうね（笑）。

　見た目も今よりももっと黒くて、もっとウチナー的な雰囲気を醸しだしていたんでしょう。東京に来たら、沖縄では体験しないようなことをいろいろなところで何度も体験しました。私は狛江市にある南灯寮という沖縄県人材育成財団の男性寮にはいりました。寮の仲間たちも私と同じような体験をしたといっていました。みんな東京に来て、楽しく学園生活ができるかと思っていたのに、そうではなく、自分とは何者なんだろうというアイデンティティを問われる。しかも自分から進んで見つけようとした結果ではなく、「あなた何者ですか」というかたちで厳しく問われてしまう。寮生のなかには、「ヤーグマイ」といいまして、寮から出ない、引きこもりみたいな状態になってしまう人もいました。この南灯寮には赤瓦の屋根のかたちの門がありますが、そこから一歩出るともう体中に緊張が走る。まあそういったのは琉球ではない経験でした。

私は1980年代の半ば頃から東京で大学生活をはじめました。そのころ、家永三郎さんの第三次教科書裁判があって、そこでは「集団自決」についての検定の不当性が争点になっていました。さらに、知花昌一さんが1987年に、読谷村で開かれた海邦国体で日の丸を焼き払いました。知花さんはソフトボールの会場になった読谷村に住んでいます。読谷ではチビチリガマの「集団自決」のような沖縄戦の記憶が継承されています。日の丸・君が代に対する抵抗感も強い場所です。国体の会場として日の丸掲揚、君が代斉唱を行なわないよう村が要請をしていました。これに対して日本ソフトボール協会の会長が、だったら会場を変更するといって、結局は日の丸掲揚だけを実施し、君が代斉

唱はなしということになりました。知花さんは、チビチリガマであるとか、集団自決のことを調べていたし、先祖から伝わる彼の土地が米軍の通信施設として強制的に使われていたということもあり、日の丸を燃やすという行動にでました。私は知花さんからチビチリガマやシクムガマで「集団自決」の話を直接お聞きし、「日の丸焼却裁判」の傍聴に那覇地裁に行ったことがあります。

こういったことを受けて、寮生どうしで話しあったり、琉球・沖縄の歴史とはどういう歴史なんだろうとお互いに学びあったりしました。そこで私は、日本人ではない、私はウチナーンチュ＝琉球人＝沖縄人という式が出てきたのです。

前川 ご自身の本当のアイデンティティをみつけたわけですね。

松島 それから、太平洋の島と琉球を比較するというのが私の研究テーマになりました。太平洋の島に目を向けて、調べてみると、人口が数万人でも独立している国がある。それはある意味では目から鱗が落ちる思いでした。国民国家、欧米型国民国家ではない形の国の形成が、琉球の近くの太平洋の島々にはあるということもわかった。独立している島々、島嶼国を調べていくと、リアリティをともなった独立への関心がわいてきました。

前川 沖縄県民より人口の少ない国はたくさんありますものね。

松島 そういった、自分のアイデンティティから生じてくる動機がまずあります。また琉球のなかで渦巻いている問題、教科書問題であるとか、日の丸焼却の問題であるとか、基地問題であるとか、それらは、日本の国策によって、琉球に押しつけられている、であるならば、独立という方法も真剣に考えてもいい。独立がもう一つの選択肢としてあると考えたことが契機となって、琉球独立を「自分の問題」として捉えるようになりました。

独立論にかんして私が影響を受けた琉球の先人たちは、詩人とか文学者、ジャーナリストが多いのですが、そういった人たちは思想面、文学の面で独立を語ってきた。政治、経済、法律などからアプローチして独立について議論したいと思って研究をはじめました。

パラオに行ったときに、私は日本大使館で1年間働きました。パラオの人たちは、私がウチナーンチュ、沖縄出身と知ったら、「オキナワン」といって、ジャパニーズとはちがう存在として認めてくれました。そこで、「ああ、私はやっぱり、ウチナーンチュなんだな」と思ったわけです。戦前、パラオは日本の委任統治領で、そこには多くのウチナーンチュと日本本土から来た日本人とが住んでいました。パラオ人は戦前からウチナーンチュは自分たちに近い存在と思っていたのでしょう。国籍は同じ日本国民であるけども、ウチナーンチュは「日本人」から差別もされていたという認識がパラオの人びとのなかにあった。

独立というとイデオロギーに基づいたもののように思われがちですが、もっと自然な形で、島嶼民が自律して生きる方法として存在してきたのです。

EUのような地域共同体は可能か

前川 私は琉球独立論みたいな本を集中的に読んだりしたことはなく、松島さんの本も今回少しだけ読んだという状態です。だからそういう考え方にあんまり接したことはなかったけれども、やはり日本の歴史をたどれば、琉球は大日本帝国が最初に植民地化した場所だなということはわかります。いわゆる「琉球処分」の前は一つの国だったわけだし、琉球王国として琉米修好条約というアメリカとの条約も結んでいる。

琉球が独立してもいいじゃないかと思うきっかけになったのは、井上ひさしの作品『吉里吉里人』です。東北の村が独立するというかなり面白い話です。現実には東北の村が一つだけ独立するのはかなり無理がある設定ですが。しかし、そこには独自の文化があり言語があり、吉里吉里国は独立すると公用語の吉里吉里語っていうのを定める。この国はなにでその国を支えようか、医療立国だという。最先端の病院をつくって、そこに世界中の優れたお医者さんに来てもらう。今でいう医療ツーリズムです。それで、国の経済を支えていくという。

読んでいて面白い、日本の一部が別の国として独立するということは十分考えられるなと思った。以前、ヨーロッパで暮らしていたときに、ヨーロッパは実は多民族性の強いところだと思いました。ラテン系、ゲルマン系、スラブ系、それにアジアにルーツをもつフィンランドやハンガリー。ユダヤ人も各地に住んでいるし、旧植民地であるアジアやアフリカの国々からの移民もたくさん住んでいます。ロンドンやパリは人種の坩堝みたいです。ケルト系の民族があちこちにいて、アイルランドほか、ブルターニュだとかバスクだとか、スコットランドもウェールズもケルト系です。少し前にもスコットランドがもう少しで独立というところまでいきましたね。

松島　ええ、住民投票の結果は僅差でした。

前川　いよいよブレグジットになったら、今度は本当にスコットランドが独立するかもしれません。

松島　つぎの住民投票の準備をしているようです。

前川　スコットランドだけはＥＵに残ろうとするかもしれない。こういうことは現実に十分に起こりうる。カタルーニャも事情さえ許せばいつでも独立するでしょう。スペインという国が抑えこんでいるけれど、スペインがもうしようがない、カタルーニャの独立を認めるしかないと踏みきれば、いつでももう独立しますね。比較的新しいところでは、チェコスロバキアでスロバキアが独立、チェコとスロバキアが分かれました。少し古い話でいえば、ユーゴスラビアがバラバラになった。あれは内戦にまでなってしまい、非常に悲惨なことになってしまった。もともとかなり無理をしてチトーのおかげでタガがはまっていたけども、それぞれの民族性とか言語とか宗教とかのちがいに基づいて分かれようっていうことになった。今はある程度落ち着いた形になりました。もっというと、ソ連も崩壊した。

　ああいうのを見ていると、やっぱり、未来永劫、沖縄が日本の一部だとずっと思いつづけること自体に正当性がないだろうと思うようになりました。中国は多民族国家ですが、今すごく強権政治をやっていて、とくにウイグルやチベットは情報がほとんど出てこないからよくわからないけど、民族的な自治や独立を求める動きを漢民族が抑えつけているという状況があるのはまちがいないでしょう。満洲国の五族協和ではないけど、指導民族として漢民族がいて、ウイグル人やチベット人は劣等民族みたいに扱われているという事態があるんだろうと思う。それは社会主義とか共産主義とかのイデオロギーではなくて、それこそアイデンティティの問題だと思います。

松島　そうですね。

前川　私は中国はいずれそういう民族の独立への動きにさらされることになるだろうなと思っています。その一方で、将来、アジアもＥＵみたいに東アジアがもう少しまとまった地域になることは夢ではないと思う。鳩山由紀夫さんが東アジア共同体ということを唱えていました。多くの政治家がそんなもの夢物語だ、白昼夢だといってたと思うけれど、そういう理想はもっていいと思います。

スコットランドが安心して独立できるだろうというのはＥＵというより広い統合の枠組みがあるからです。私はもし琉球が独立するのであれば、それを包む、緩くてもいいけれども、東アジア共同体までいかないにしても東アジアの連帯のような枠組みができて、その域内で人や物や情報の行き来がもっと自由にできて、国籍みたいなものもハードルが低くなればいい。そういう中心に琉球があると考えると、ものすごくいいポジションです。「地政学」的にいっても、いろいろな国につながっていける、松島さんのお言葉を借りれば「島のなかの海」を通じてつながっていく。万国津梁という言葉がありますね。すべての国と港を通じてつながっていく、そういう行き方をすれば琉球は十分一つの国としてやっていく可能性があるなと思うようになりました。

松島　今お話に出た鳩山さんが顧問をされている、東アジア共同体・沖縄（琉球）研究会というのがありまして、現在、私はそこの共同副代表です。私たち研究者同士で東アジアの国々の研究者といろいろな研究会を定期的に開いています。琉球は、いろいろな国々と関係をもっていまして、琉球とほかの国が結びついた形で研究もできる。研究者同士は東アジアの国境の枠を超えて、共通のテーマで研究を進めています。

たとえば北京大学で2年に1回、琉球・沖縄にかんする大きなフォーラムがあって、そこでもいろいろと議論する機会があります。琉球独立を日本のなかでいうと、中国が侵略するんじゃないかといわれる。なぜならば琉球国は明朝、清朝の「属国」であったから、また独立したら、同じような「属国」になるんだろうという声も挙がる。私は中国の研究者に聞いてみました。日本ではこういった意見もあるけども、もしも琉球が独立したら中国は琉球を侵略する根拠はありますかというふうに聞いたら、それをするわけがないというわけです。なぜならば、「属国」ではなくて、「藩属国」だからです。これはどういう意味かというと、朝貢冊封体制のなかで、明朝、清朝の皇帝に朝貢していた朝鮮王朝やシャム国（現在のタイ）、安南国（現在のベトナム）など、そういった国々が朝貢冊封の関係をもっていましたけども、それは主権のある国として中国に朝貢、冊封していた。それらの国が独立したからといって中国は侵略しなかったように、琉球は独立しても、侵略はしない。侵略する歴史的、法的根拠がないわけです。中国の研究者のなかでは、もし琉球が独立するならこれは認めるし、それは「藩属」という伝統的な東アジアの国家間関係の未来の形として考えているようです。日本のなかでも先入観に頼らずに、アジア諸国の人びとと直接、意見を交換して、相手の考えを聞くというのも非常に重要だと思います。東アジア共同体の枠組みは将来、もっと大きな可能性があります。

アメリカ従属から独立する

松島　それは日米同盟体制を問い直すことにつながります。アメリカではトランプ大統領が出て、アメリカファーストを打ち出しました。それは、アメリカの世界的な影響力が縮小しているから、反動として、トランプのような人が大統領に選ばれたのでしょう。日本がアメリカの従属国ではなく、本当に独立した国になれば、東アジア共同体に国として参加できるのではないでしょうか。

前川　東アジア共同体ができるためには日本がアメリカの属国から脱する、それがまず先ですね。属国といういい方は極端かもしれないけども、本来主権をもって独立して決められるはずのことが決められないうえに、日米地位協定なんかで日本の主権のおよばないような好き勝手なことができる……。

松島　日本がアメリカの属国であるという状況を私は目の前で見ました。2004年8月13日、沖縄国際大学に普天間基地所属の米軍のヘリコプターが墜落する、事故・事件が発生しました。その日、私は沖縄国際大学の図書館に資料を見に行こうと思って車で向かっていたのです。国際大学のほうから煙が上がっていて、何かあったんじゃないかと急いで駆けつけたら、ヘリコプターが墜落していました。大きな事件が発生したと気づいて、近くにいって見ておきたいと思い、大学のなかにはいろうとしたら、校門の前に黄色い進入禁止のテープが貼られていました。

この立ち入り禁止のテープはアメリカ軍の警察が貼ったものです。国際大学の敷地は当然日本の領土内であって、日本が主権をもっているはずです。しかし、アメリカ軍の事件、事故が発生すると、あっという間に日本の領土ではなくなるわけです。沖縄県警は、テープの外に立って規制をしていました。なかにいるのは米軍人のみです。日本はほんとうにアメリカの属国だなということをまざまざと見せつけられました。日米地位協定が、こういった状態をつくりだしているのです。

最近もオスプレイが何回か墜落をしていますが、日米地位協定では、米軍の公務中は、第一次捜査権が米軍側にあるというふうな規定があって、オスプレイの残骸も、沖縄県警が回収できずにアメリなっていません。

カ軍がもっていってしまう。今でも米軍は事故原因の報告を、当事者である沖縄県民、日本政府に行

前川　日本の政府が向きあうべきはやっぱりアメリカ政府です。仮に日米安保条約を維持するってい
う前提に立っても、そのために基地がどれだけ日本に必要なのかはもっと真剣にアメリカと向きあっ
て話しあうべきです。「ほんとに必要なんですか、いらないんだったら出て行ってください」という
べきでしょう。日本を守ってくれるという限りにおいては置いてあげる意味はあるけども、それ以上
につきあう必要はない。日米安保条約の枠組みを前提としても、基地の縮小についてもっと真剣に議
論するべきだと思います。とりわけ、日本にある米軍基地のかなりの部分が沖縄に……。

松島　70%です。

前川　70%が琉球にあるわけだから、琉球、沖縄の米軍基地をどう縮小するかという議論を本気で日
本政府がアメリカ政府とやるべきだ。トランプさんは基地を置いておくのは予算の無駄遣いだと思っ
てる、だったら縮小したらいいじゃないですかといいたい。トランプさんの気持ちのなかでは日本が
お願いして米軍がいるという前提で話をしてる。

松島　過去にもアメリカ政府側が、在沖米軍を世界の他の地域に移してもいいという提案をしたのに、
日本政府がいやいやそれは困る、沖縄に居てくれと何回となくアメリカに頼んでいる。

前川　抑止力理論とか抑止論というものが日本の安全保障を考える人たちの大前提になっている考え
方です。軍事力をもっているから戦争にならないという考え方なんだけど、私はそんなことないと思
います。こちらが軍事力を高めれば、相手も高めていくわけだから、軍事力があるとかえって戦争の

危険は高まると思います。個別的自衛権としての武力行使を認めるという前提に立ったとしても、大きな軍事力をもつことはかえって危険だと思う。

今の政権は、どんどんどんどん軍備を増やしていこうとしています。でも、アメリカでも軍産複合体の脅威がアイゼンハワーの頃からいわれてるわけだけど、日本でもだんだん軍産複合体が成長しつつあって、とにかく軍備が膨れあがっていくほうが得だ、それが自分たちにとって得だというそういう一部の戦争で飯を食う経済みたいなものが日本でも芽生えて膨れているんじゃないか。だから、日本から武器輸出ということが広がっている。「防衛装備品の移転」なんていう言葉でごまかしているけれど、こういう動きがどんどん広がっていくともう歯止めがなくなっていって、とにかく基地はたくさんあったほうがいい、武器はたくさん備えたほうがいいという、そのためにあれこれいろんな中国脅威論で煽る。

琉球が独立したら中国が必ず併合するだろうみたいなことをいうのは、そういう近隣の国の軍事的な脅威をことさら強調して、それによってこちらの軍備を高めるためで、それで得する人たちがいるということです。そういうものに乗ってしまうのは危ない。

松島　琉球でも宮古・八重山諸島、奄美諸島で自衛隊基地が増えています。日本の最西端にある与那国島では2016年に陸上自衛隊の駐屯基地がつくられて約150名の隊員とその家族がやってきました。島の「過疎対策」ということで町長が誘致しました。いきなりこれだけの人口が増えるわけです。自衛隊基地によって島が存続を図ろうという意味では、これもひとつの軍産複合です。今、宮古島、石垣島ではミサイル基地や弾薬庫をつくっていて、これだと500名とか800名とか相当大きな規模の軍隊がはいってきます。

基地があれば攻撃の対象になるというのも過去の歴史を見てあきらかですが、こういった基地をつくると、その基地は日米地位協定で米軍も使うことができます。

前川　今の世界で恐いのはそういう軍事大国のあいだで戦争が起こるということよりも、テロだと思います。アメリカという国は世界中のいろんな民族から恨みを買っているわけで、だからテロの標的にされやすい。日本は戦後70年のあいだ、そういう外国で武力を行使するとか、無理やり力にものをいわせて領土をぶんどるとか、そういうことをしてません。だから、今のところはそのテロの原因になるような恨みを買ってないと思います。

だけど、アメリカと一緒になってあっちこっちに行って戦争に加担するようになると、やっぱり日本はアメリカの仲間だなと、そうなる。そこでアメリカと同じように日本も敵だ。それから当然ながら日本にあるアメリカの基地はわれわれの敵だ。あるいはアメリカ軍とほとんど一体化している自衛隊の基地も我々の敵だと、そんなふうに見られてしまうでしょう。自衛隊がいくら強い軍事力をもっているとしても、テロには弱いだろうと思う。たとえば、ドローンで原発を攻撃されたら、大変なことが起きます。

松島　ええ。弱いでしょう。

前川　私は、これからの国家安全保障のための方策は、空母をつくったり、ミサイル基地をつくったりではないと思います。テロ対策が必要だと思いますが、それは、何よりもテロの標的にならないように国際社会で振る舞うことでしょう。

松島 そうです。まさに外交の力です。

前川 そのためにはアメリカにあまり近寄らないほうがいい。

松島 アメリカはテロ国家ですから。

前川 だから、アメリカとはつかず離れずで、あまりべたべたしない。アメリカは大事な国だと思いますし、アメリカのなかには健全な民主主義もあると思います。だけど、今のアメリカにはかなり不健全なものがある。とくに今のトランプさんと、あんな人とべったり友だちになる必要ないです。さらにいえば、ロシアのプーチンさんとも。ウラジミールなんてファーストネームで呼ぶことないと思う（笑）。あくまでもプーチン大統領としておいて、あなたと私はちがうといっておかないと……。

安倍さんの外交はああいうマッチョなトランプやプーチンみたいな人に、べたっとくっついて「ぼくは友だちだよ」みたいなふうにする。ああいう国、ああいう指導者からは距離を置いて、日本はちがう道を行くということが必要だと思う。

松島 そうですね。2001年の9・11に同時多発テロがありました。そのときに琉球では何があったかというと、観光客がガクンと減ったわけです。つまり米軍基地がある沖縄は危ないということで修学旅行が大量にキャンセルされました。ですから、基地を減らしていくほうが沖縄の観光業の発展にもつながるということです。

現在の沖縄県の経済の柱は観光業です。観光客が1千万人近くまで増えてきて、観光関連産業がもたらす経済的影響力も大きくなっていますが、他方で基地による経済効果は県民総生産のたった5％程度しかありません。琉球の経済界の人も基地反対運動に参加するというのは、そういう背景があるからです。基地はないほうが経済自立につながるという経済合理性で基地に反対するという人も増えてきているわけです。基地を増やしていくという、いまの日本政府のやり方は、沖縄の経済発展においても逆行しています。

前川　基地とか軍事力とか、あるいは兵器とか軍隊とかは、人を豊かにするためのお金の使い方ではありません。自衛隊員は20万人ぐらいいるのかな。それよりもみんな先生になってくださいといいたくなる（笑）。同じ公務員でも教師が足りないので。

災害のときに働いてくださるのはいいのですが、ふだんは訓練ばかりしているわけでしょう。日本は戦争をしないのですから、半分以上は予備役化して、その代わりに教育大学に行って勉強しなおしてもらって先生になってほしい。

日本政府が買っている高い武器や米軍基地のための思いやり予算など、ああいうお金をもっとべつのものに使ったら人びとの生活が潤うでしょう。基地に使われている土地を人が豊かに暮らすための目的に使えば、もっといいだろうと思います。

松島　琉球独立したときには、そういった軍事予算はもう一切使わずに、平和のため、福祉や医療のため、教育のために重点的に国の予算を使うということがいいんじゃないかと思っています。

琉球独立のモデルは

前川　やはり、コスタリカが一つのモデルになりますか。

松島　軍隊をもたない国、コスタリカもそうですし、太平洋のちっちゃな国も軍隊をもたない島が多いのです。小さい国にとって、軍隊というのはとても無駄なものですから。コスタリカのような中規模といえる国でも軍隊をもたずに存続し、かえって平和に過ごしているのです。

前川　よく安倍さんは、日本国憲法に書いてある「平和を愛する諸国民の公正と信義に信頼して我々の安全を保とうと決意した」というあのくだりについて、そんなのは夢物語だ、まわりの国はあわよくば戦争しようと思っている、平和を愛する諸国民なんてどこにもいないといいますね。だから、日米同盟も大事だし、日本の軍事予算を増やすことも大事だといって軍事力を増やすことによって平和が保たれる。これが積極的平和主義だという。軍事力を高めなければ平和を維持できないという考え方にこり固まっているのが今の日本政府です。なにも安倍政権に限ったことではありません。民主党政権のなかにも同じ考えはありました。

もし琉球が独立して、もう軍事力をもたない、ほんとに非武装中立で、周りの国と仲よくすることで平和が保たれるという日本国憲法に書いてある理想を琉球で実現できるかもしれない。琉球でできるなら日本の本土でもできるじゃないか、その一つのお手本というか見本を見せてもらうことができるというふうにも思えます。

松島　ええ、そう思います。いわゆる地政学的に重要な場所が非武装化することによって周辺地域が安定化する、平和になるという実例があります。バルト海にあるオーランド諸島というところがあります。第一次世界大戦までは軍事の島でした。第一次世界大戦後に話しあって、平和、非武装の島になって、自治度も高めたのです。その結果、バルト海が平和の方向に向かいました。

琉球もそういうふうに、東アジアの共同体をつくるためのセンターになるような形をめざして、武器をもたないほうが、周辺地域全体が、平和な関係になるだろうと思います。周辺地域は、あそこは何をするかわからないという不信の塊になると、非常に緊張した状態になる。反対に、「イチャリバチョーデー（みなきょうだいなんだ）」という平和思想に基づいて、武器のない、周辺諸国から信頼されるような島々になることで、琉球は非武装中立の島として独立ができると思います。

1972年の方言札

前川 つぎに教育の話をしましょうか。

松島 ぜひお願いします。とくに前川さんのお話を。

前川 ただ、私は沖縄の教育がどうなっているのかを具体的には知りません。でも、松島さんが実際に方言札を掛けられていたという話にはかなり衝撃を受けました。

松島 そのときは小学校3年でした。

前川 西暦でいうと何年ですか？

松島 1972年、まさに復帰の年です。5月15日が復帰の日でした。小学校は4月から始まりますので、それに向けて、担任の教師が君たちも日本国民になるんだから日本語を話さなきゃいけないと考えたという背景があったのでしょう。

前川 そうすると復帰に向けてかえって日本語の学習が強まったということですか。

松島　強まった。

前川　日本語化のような。

松島　教育委員会が実施したというよりも、私のクラス担任の考え方だと思います。政策として実施したという記録は残っていません。

その先生は復帰運動に熱心だったのかよくわかりませんが、基本的には教員が復帰運動のリーダーでした。

前川　そのころ、日の丸は復帰のための象徴だったし、アメリカの支配に対する抵抗の一つのシンボルでもあったわけですね。

松島　そうです。

前川　平和憲法の日本に戻るという。それが、明るい未来を象徴しているっていうことだったのですね。

松島　そうです。

前川　だから、その日の丸の国の言葉をちゃんと学ばなければいけないという前向きの気持ちをもってやったのかもしれません。

松島　日本語、共通語あるいは標準語といってましたが、それを子どもたちは学ばなきゃいけないと思われていたのでしょう。そのときに犠牲になるのが島の言葉でした。これは使っちゃいけないといって「方言札」が登場した。そこでは日本語も話せて、「方言」いわゆるウチナーグチも両方とも話せるように、ではなくなってしまった。

前川　世の中にはバイリンガル、トリリンガルもいるのに。

松島　それだけ日本への大きな期待があったと思います。それは、米軍統治が非常に過酷であったということの裏返しでもあった。「方言札」の罰をされて、私は自分を日本人だと思うようになりました。しかし、東京で生活するなかで「自分は日本人ではない」と考えるようになりました。

はじめにもお話ししたように、私は東京に出て、自分は何者かと考えるようになった。そこで、家永教科書裁判第三次訴訟であるとか、知花昌一さんの日の丸焼却事件に遭遇しました。東京地裁や那覇地裁に傍聴にいきました。那覇地裁では、知花さんを攻撃する右翼の人たちとのあいだでもみくちゃになった経験をしました。

そうした裁判で、特に沖縄の「集団自決」と呼ばれているものが、「名誉の死」だ、「国のための死」だという主張にものすごく違和感を覚えました。

前川　いわゆる殉国美談ですね。

松島　日本軍の軍命によって強制されたものではないという、教科書の書きかえ問題が浮上していました。もちろん、そんな主張に琉球の人びとは納得いきません。私もそういったことを通じて、学生時代に琉球人、ウチナーンチュとは何かと考えることになったのです。沖縄戦のことや教育に非常に関心をもつようになりました。

家永さんの教科書裁判は１９６０年代に一次訴訟があったわけですが、近隣のアジア各国をもまきこんだ教科書問題が激しくなっていくのは80年代以降です。そういう流れのなかで、沖縄の「集団自決問題」も浮上します。１９８２年に江口圭一さんが高校教科書日本史に書いた沖縄戦での「集団自決」の記述が削除されるという事件があって、沖縄の全市町村議会が、抗議の決議、意見書を出しました。そのあとに家永第三次検定訴訟があった。

こうした80年代におきた訴訟があり、文部省による沖縄での日の丸・君が代の強制がつよまるなかで、87年に知花さんが日の丸を燃やしました。知花さんだけではなく、私も東京にいてテレビを見ていたら、卒業式で読谷高校の女子高校生が、日の丸を壇上から引きずりだしてドブに捨てるというショッキングな映像がありました。

当時（1985年の段階で）、沖縄県の全学校における掲揚率、斉唱率は0・6％ぐらいだったのが、文部省を通じて沖縄県教育委員会が実施するよう強制を強めたことから、5年後にはほぼ100％になりました。とくに知花さんはこのチビチリガマをはじめ、読谷村の「集団自決」のことを調べているなかで、上官の命令は天皇の命令だという日本軍の支配構造、また捕虜になることを認めない軍人勅諭のおしつけという天皇制支配によって、自決が強制されたことを明らかにしました。

この読谷村には、チビチリガマとシムクガマっていう対照的な二つのガマがあります。チビチリガマでは150名が避難して、そのうち84名が「集団自決」しています。しかも、84名中、47名が10歳以下の子どもだった。ガマのなかには、南方戦線で戦ってきたウチナーンチュや中国戦線で戦ってきた看護師のウチナーンチュがいました。彼、彼女たちは、中国で日本軍が非常に残虐なことをしてきたことを体験しています。戦争になったら、婦女暴行や虐殺など大変なことになるとみんなに伝えたので、そうなる前にみんなで死にましょうとなった。一方のシムクガマっていうのは約1000名の人が避難しましたが、全員生き残ったわけです。なぜ生き残ったかというと、ハワイに移民していた読谷村の方が帰ってきていて、彼が、「アメリカ軍はそういった酷いことはしません」とみんなにいったので自決なんかしなかったわけです。

天皇制、日の丸を象徴とする戦争の結果、「集団自決」は発生したと考えた知花さんが日の丸を燃やした行動と、教科書の書きかえに対して怒る琉球人の怒りとには共通するものがあります。教科書検定を通じて「集団自決」の事実・歴史を書きかえていく、消していくっていう動きに対して、それはちがうという琉球人・ウチナーンチュの怒りは、琉球の自己決定権の現れではないかというふうに思います。

前川 琉球が独立したら、中学校や高等学校の教科で琉球史をきちんと学ぶというふうになるでしょう。だから、今は日本史で、琉球とは関係のない大和王権の話だとか、あるいは鎌倉幕府の話とか、琉球との関係は出てくるけど、琉球から見たらよその国の話です。

松島 そうですね。琉球の歴史については、いまは副読本を使ってやってます。

前川 文部科学省も少しものわかりがよくなって、学習指導要領どおりではなくて、新しい教科を作ってもいいとか、弾力的な措置がとれるようになっています。たとえば、沖縄県の教育委員会なり、あるいは那覇市でも読谷村でも、自治体の教育委員会で教育課程の特例制度を使うことも可能です。そうすると小中学校の社会科から切り離して琉球史という教科を作ることも可能なんです。これはぜひやったらいいと思います。

松島 最近のニュースで出ましたが、沖縄国際大学の経済学部が、２０２１年度の一般入学試験において「琉球・沖縄史」を選択科目に入れる予定です。初めての試みです。

前川　教科書の話に戻すと、要するに戦後ずっと一貫して、戦前に回帰しよう、戻ろうとする力がずっと働いています。それは、日本の政治の世界にも教育の世界にもいえることです。強制集団死といわれるいわゆる集団自決の教え方に関しても、それから、アジア太平洋戦争時代の日本軍が行なったほかの問題、とくに南京虐殺事件と従軍慰安婦の問題と、いわば三点セットともいえるでしょう。この3つについて、あったことをあったとおりに教えるなといっている。そう言っている人たちはなかったと思いこんでる人たちですが……。

集団自決には軍の命令や強制はなかった。あれは沖縄の住民の自発的な行為であって、美しい、国を想う美しい心の現れであるというふうに思いたがる。南京虐殺については、いや、殺されたのは民間人のかっこうをしていた兵隊であって、普通の民間人は殺されてないんだ、虐殺といわれるものはなかった。それから従軍慰安婦についても、軍や政府の関与はなかった、あれはただの商売でやってたんだ。こういうふうにとにかく大日本帝国という国や日本軍という軍隊は、悪いことは一つもしなかった正義の国、正義の軍隊であって、アジア太平洋で行なった戦争の目的はアジア諸民族の欧米列強からの解放にあったのである、昔、大東亜共栄圏だとかと東条英機がいってたことをそのまんまくり返す。

そうするとなんだか日本人の誇りみたいのを感じるらしい。私はそうした歴史の捏造をしても誇りなど感じないけど。しかし、そういう人たちがずっと日本の政府の保守政権の中枢の力を占めてきたということは事実です。ただ、それは政権によって強弱があります。そういう傾向が非常に強かった政権というとやっぱり岸政権、中曽根政権も強かった。それから、そのあとでは森喜朗さん、そして今の安倍さんはそのなかでも一番強いと思います。ずっと抑えられていたはずの復古的な戦前に戻ろうとするような思想をもった人たちが、数で増えてきていて、1997年に日本会議ができた。それが、日本の社会全体に根を張ってきて、とうとう沖縄にまで根を張っています。

松島　たしかに、沖縄にもいます。

前川　そういう草の根の日本民族中心主義みたいな考え方が非常に強くなっている。そのなかで、日本の学校では、もともと教科書を教えるという、教科書こそが教える中身そのものだという考え方が強いから、政治の世界からも教科書の記述の在り方がものすごく注目されてしまう。すでに50年代から「うれうべき教科書」なんていういい方で教科書が攻撃されてきました。そういう保守政治の強い圧力のもとで文部省の検定もどんどんどんどん右よりになっていって、日本軍が悪いことをしたって書いてあったら、いや、悪いことしてないように書き直せみたいなことになる。沖縄の集団自決についても、あるいは住民虐殺についても、その記述についてできるだけマイナスのイメージを消そう消そうとする。そういう検定が行われてきました。

家永訴訟は、国と家永さんのどっちかが完全に勝ったという終わり方ではありませんが、検定そのものは合憲としつつも、しかし具体的な検定意見については、これはおかしいということがたくさん最高裁でも指摘されました。だから、家永さんが戦った意味はものすごくあったと思います。だから、その後、いわゆる集団自決についても軍の強制が働いていたという書きぶりは認められていたわけです。

元祖「忖度」の教科書検定

前川　ところが、２００６年の検定で突然認めなくなった。私は、２００６年当時は初等中等教育局にはいましたが、教育委員会制度などを担当する課長でした。教科書検定については当事者ではありませんでしたが、教科書課のほうでなんか変なことが起きてるなという感じでした。２００７年の３月ですか、２００６年の検定の結果が公表されました。それを見て沖縄で大きな反発がおきました。あれは９月29日ですね、11万６千人が参加した県民大会が開かれた。そこに至るまでのあいだに文部科学省の態度が明らかになっていったわけだけど、明らかにそれまで認めていた記述を突然認めなくなった。とつぜん、軍と集団自決のあいだに強制したとか、命じたとか、そういう言葉を一切使うなという検定をしたわけです。

これは、それまでに教科書調査官の人事が行われて、そういう歴史修正主義的な考えをもった人が教科書調査官にはいってきたということが大きな要素としてあると思います。しかし、やはりなんといっても、もっと大きい要素としては、安倍さんが政権をとったことが大きかった。２００６年に第一次安倍政権ができました。安倍政権の前は麻生さんでした。麻生さんは日本は単一民族国家だなどと平気でいう人ですが、安倍さんほど歴史をねじ曲げようっていう強い意志をもった政治家ではないと思います。安倍さんは明らかに歴史修正主義者で、あの１９９７年に日本会議ができたのと同じ年に、私から見ると極右の政治家の集まりなんですけど、「日本の前途と歴史教育を考える若手議員の会」という組織をつくったその中心人物の一人でした。そのときの代表だったのは、もう亡くなりましたが、中川昭一さんという人です。安倍さんはこの会の事務局長でした。今、安倍政権の中枢にいるような人たちの多くもそこにいました。

この若手議員の会が生まれるにあたっての前段がありました。さかのぼって1982年の宮沢談話です（大平総理の時代）。これも教科書検定がことのはじまりです。日本軍の中国への侵略にかんする教科書の記述を書きかえさせた。それに対して中国や韓国が猛反発しました。そこで、この教科書問題を収めるために宮沢談話を出して、近隣諸国との関係に留意して教科書検定をやりますという談話を出して、近隣諸国条項が教科書検定基準の中に設けられました。従軍慰安婦問題にかんしては、1993年の河野談話があります。総理大臣が宮沢さんで、官房長官が河野さんでした。河野談話では従軍慰安婦にかんする日本の軍や官憲の関与により、総じて強制、本人たちの意思に反して行なわれたと認めて、従軍慰安婦という問題があったことを歴史教育を通じて永く記憶にとどめることを約束したのです。

そのあと、自民党、社会党、さきがけの自社さ政権、村山内閣ができて、戦後50年の節目の年だったことから反省・お詫びの言葉を盛りこんだ村山談話を出しました。

こういう一連の宮沢談話、河野談話、村山談話に現れた日本政府の姿勢に対して猛烈に反発した人たちがつくったのが「日本の前途と歴史教育を考える若手議員の会」です。これは別名教科書議員連盟ともいいます。教科書の内容に対して文句をつけてきました。代表だった中川昭一さんは私の高校の1年先輩でした。そんなに親しかったわけではないし、考え方もちがうのですが、中川さんのほうは私のことを後輩だと思っているようで、時折電話してきました。従軍慰安婦のことを中学校の教科書に絶対書かせるなという内容の電話です。私はそのとき担当ではありませんでしたが……。

極右政治家たちが教科書記述で特に攻撃したのがさっき言った三つの点、南京虐殺と従軍慰安婦とそれからいわゆる集団自決の記述です。日本軍は悪いことしなかったと書けという。そういう主張をずっとしていた人たちの中心にいた安倍さんが政権をとった。これには強いインパクトがあったと思います。そこで2006年の高校日本史の記述の検定にあたって、文部科学省の組織が政権に忖度したのでしょう。私は元祖忖度と名づけます。ただし、たんなる忖度だったのか、私は疑いをもっています。真相はわかりません。第一次安倍政権のときの官房副長官だったのが下村博文さんです。下村博文さんは初めからこの教科書検定に介入するつもりだった。そのことはいろんな発言から明らかになっています。忖度というよりも官邸から直接の指示があったのかもしれません。少なくとも官邸との関係がなんらかあったことはまちがいなくて、なんらかの直接の指示があったかもしれないし、あるいは単に忖度したのかもしれない。いずれにしても安倍政権ができたということが大きな影響を与えたと思います。その結果としてそれまで認めていた記述をいきなり認めなくなる。認めなくなった理由はなんですかと聞いても明確に答えられない。歴史学で、学問上の新しい発見があったということではありません。日本政府、文科省が説明したのは座間味だったでしょうか。

松島　座間味とか渡嘉敷とか。

前川　渡嘉敷、座間味での、隊長だった人。

松島　座間味島での指揮官であった梅澤裕さんと、渡嘉敷島での指揮官の弟である赤松秀一さんが原告です。

前川　その人が訴訟を起こして、

松島　大江・岩波訴訟です。

前川　そうですね。大江健三郎さんの『沖縄ノート』の記述に対して「嘘だ、自分は命令を出してない」といって訴訟を起こしました。結局これは原告が負けました。でもそういう訴訟を起こしたからという理由で、検定内容を変えようとした。しかもこの理由はあとでいいだしたものです。でも、訴訟を起こしたというのはなんの理由にもならない。それが証明されたわけではありませんから。根拠のない検定方針の変更です。当時の文部科学省の非常に大きな過ちだと私は思います。私も文科省にいましたが、あれはやってはいけない検定だった。沖縄の人たちが怒り出すのは当たり前だと思います。11万6千人の県民大会のあと、なんとか収拾しようとして、検定意見は撤回しないけれども、訂正には応じるという、中途半端な態度をとった。元の記述には戻せなかったけれども、ある程度戻すことは認める。それでも軍の強制があったというような書き方はさせない。

松島　「関与」でしたね。

前川　ええ。「関与」です。あとは、注に強制集団死とも呼ばれているというような記述は認めるとか、強制的な状況でとかという曖昧な言葉です。強制したではなく、状況を説明する言葉としてだけ扱う、そういう曖昧な形である程度元に戻すことを認めるというものでした。すっきりしない決着です。

沖縄ではあの検定を元に戻せ、撤回しろっていう意見が残っていると思います。もっともなことです。私はとにかくあの検定はやってはいけない検定だったし、その背景には第一次安倍政権ができたということがあると思います。しかし、本来、政権によって政治の力によって検定が左右されるという仕組みそのものに問題があると思います。私は、学習指導要領は、文部科学大臣という政治家が就く職から切り離して、純粋に学術的な観点で構成される第三者機関の委員会をつくって、そこで定めるようにすべきだと思います。教科書検定も、学者の集まりである第三者委員会で検定してもらう。そこに政治の力で人事にも介入しないように、教科書検定委員会をつくって実施する。

私は、教科書検定はあったほうがいいかなとは思っています。家永裁判は検定が違憲だ、検閲だという考え方でした。でも、私は、学問の世界の人たちがチェックするんだったら、それはあっていいと思っています。逆にまちがった、それこそ日本軍はまちがってなかったというようなまちがった教科書が流通しないためにも、学者のあいだで審査する仕組みがあっていい。たとえば、教科書検定委員会をつくったとして、その委員会の委員はすべて学術会議に参加する学会からの推薦で選ぶとか、そういう学問の世界の人たちが集まって検定するという仕組みがつくられれば、政治が介入してきて、勝手に教科書の書き方を変えろということを遮断できる。だから、もっと透明性を高めないといけないと思います。

教科書検定審議会とか教科書調査官の意見とかっていうものがものすごく不透明で世の中から見えません。何を理由にどういう意見がでたのか、しかも、教科書審議会のなかの、正確な言葉はオープンにされません。教科書検定にかんしては、まず透明性を高めることが必要ですが、将来的にはさっきいったように文部科学省から切り離して、教科書検定だけをする学者の世界、学問の世界の人たちだけからなるような独立した専門の第三者機関、委員会組織をつくって、そこで検定するようにしたほうがいい。

現実には教科書の内容や教える中身についての政治の介入がますます増えてきています。第二次安倍政権になってから教科書にかんしては教科書検定基準の改定をやりました。これは私が局長のときです。下村さんの命令でやったわけです。日本の政府の見解を必ず書かせろというものです。私はこれはまずいと思っています。政府見解といっても必ず正しいとは限らない。日本政府はこういっている、しかしそれに反対するこういう意見もあるというふうに並べていくのだったらいい。たとえば、尖閣についても竹島についても、この領土について、日本政府はこういってる、しかし韓国政府や中国政府はこういってると並べて、それぞれ根拠はこうだということを書く。あとは自分で判断しなさい。そういうふうな書き方だったら、日本の政府の見解を書くのはいいと思います。しかし、日本政府の見解こそが唯一の正解という書き方はまずいと思います。

以前は、北方四島は日本固有の領土だと書けとずっと官邸がいいつづけていました。ところが、最近いわなくなったはずです。ロシアのプーチン大統領との関係で、北方四島は日本固有の領土だといわなくなったからです。国会の答弁でも、安倍さんが突然、北方四島は日本固有の領土ですねと聞かれても、むにゃむにゃとお茶を濁して、固有の領土だといわなくなった。でも、教科書には残っています。

そのように教科書の記述に直接政治が介入しようとする傾向は第二次安倍政権になってからも強まっています。第二次安倍政権になってから記述が強化されたのは、領土と自衛隊です。これも私が局長のときですが、下村さんにやらされました。そのときやらされたのは学習指導要領の改訂ではありません。学習指導要領解説という文書があって、解説のほうの文章を改訂しちゃった。これは本来おかしい。学習指導要領解説は学習指導要領を改訂したときにこの改訂の趣旨はこうですという説明するための解説ですから、学習指導要領を改訂していないのにその解説だけ書きかえるというのはおかしいのです。

解説のなかで何をどう変えたかというと、領土とか自衛隊とかにかんする記述をものすごく膨らませて詳しくして書いた。これで具体的にはどういう効果があるか。教科書の記述に反映されます。教科書発行会社が解説を読みながら教科書の記述を考える。だから、解説に領土のこととか自衛隊のことが詳しく書きこまれたら、教科書にももう少し詳しく書こうとなるのです。こういうふうに政治が教育の中身を誘導していく、操作していくということがかなり強く行なわれている。これは非常に危ないことです。教育の世界は、政治から一定の距離を置いて、その教育の世界の独立性とか、教育の自由という部分を政治の干渉から守らなきゃいけない。

安倍政権はとにかく政治の力で教育に介入しようとする力があちこちで働いていて、しかも介入したがる分野は決まっています。理科教育とか数学教育とか音楽教育とかには関心がない。音楽教育だったら君が代だけです。君が代は必ずやれとなる。一番関心をもっているのは歴史教育と公民教育と道徳教育と性教育です。こういう部分にものすごく関与してくる。今の右派政権の意向に沿った形で教科書もつくられるようになっていて、歴史や公民でいえば育鵬社というところが出している教科書があります。それから道徳でいえば教育出版や日本教科書というところが道徳教科書を出しましたが、明らかに日本会議系の道徳教科書です。「新しい歴史教科書をつくる会」という会がありましたが、そのつくる会系とか日本会議系の人たちが作る教科書です。

八重山の教科書問題

前川　こうした教科書をめぐって起きたのが八重山の教科書採択問題です。八重山の教科書採択の話をしましょう。そもそも石垣市、竹富町、与那国町で、3つの自治体の教育委員会が共同採択地区を構成していました。共同採択地区とは何かというと、教科書無償措置法という法律で決まっていますが、複数の自治体が一つの教科書を使わないといけないという縛りがあります。その縛りそのものがもうナンセンスだと思いますが……。当時、石垣市と竹富町と与那国町は一つの教科書を使うという括りがあったわけです。当時の法律上はどうなっていたかというと、一つの郡で括らなければいけない、だから八重山郡を分けてはいけないとなります。石垣市は市ですから、市は単独で採択地区になってもいいっていうことになりますが。残りの竹富と与那国は八重山郡だから分けられない。こういう縛りがありました。その市と郡の単位でどう括るかは、県の教育委員会が決めることになっていて、沖縄県教育委員会は石垣市と八重山郡の2町をまとめて一つの共同採択地区にしていたわけです。

そのなかで中学校公民教科書について意見が合わなかった。採択協議会という協議会があって、3つの教育委員会の人たちが集まって、どういう教科書を使うか協議する場がありました。その協議の場で意見が分かれたわけです。石垣市は市長が中山義隆氏に替わって、その中山市長が任命した玉津博克教育長さんが主導して中学校公民教科書で育鵬社を使おうとしたわけです。育鵬社の教科書は私から見ると、かなり右の人たちが作ってる教科書です。育鵬社の教科書の特徴というと、尖閣諸島のことをしっかり書いてある。尖閣諸島は石垣市に属している。それから、自衛隊についての記述もくわしい。与那国は自衛隊の基地を置くということもあって、尖閣諸島や自衛隊のことをしっかり書いてある教科書だからこの八重山採択地区ではこの育鵬社を採択すべきだという。これが石垣市教育委員会と与那国町の教育委員会の姿勢でした。それに対して竹富町の教育委員会はいやだ、東京書籍がいいといった。東京書籍の公民教科書のほうは沖縄の基地問題についての記述がくわしく書いてある。それで意見が分かれました。

意見が分かれたときにどうするか、法律は何も決めてなかった。かならず意見が一致するという予定調和説みたいなところに立っていたのでしょう。どうしても折り合わない場合には県の教育委員会が乗り出して指導するという手続きが決めてありました。実際、沖縄県教育委員会は乗り出して調整にあたりました。じつは、最初の採択協議会で石垣市の教育長の提案で採択方式にかんする規約の規定が変えられていました。規約は3つの教育委員会の合意文書ですから、規約を変えるためには各教育委員会がもう一度合意しなおさなければいけないはずなのに、協議会のその場で規約を変えてしまった。こんなことはできないはずです。でも、その場でルールを変えて、その協議会メンバーの多数決で採択を決めることにした。それまで多数決で決めるというルールはなかった。とことん話し合うっていうことになっていたのに、多数決で決めるというルールに変えた。その上で多数決を取ってみたら、竹富町のほうが少数だった。多数決ですから、竹富町も育鵬社の教科書を使うということでいいですねといわれて、いいや、そんなことといわれてもということでもち帰った。もち帰ったところ、竹富町の教育委員会では育鵬社の教科書を使うわけにいかない、ぜひとも東京書籍がいいという強い意向があって、やっぱり育鵬社の教科書を使えないといった。再協議してもまとまらなかった。それで県が乗り出しました。

たまたまその三つの自治体の教育委員全員が集まる協議の機会があったので、その機会にこの教育委員全員で話し合ってもらったらいいといって、県の教育委員会が音頭をとりました。この3市町教育委員全員協議会の場で中学校公民教科書の採択について議論した結果、最後はこの教育委員全員の多数決をとるということでいいですかと、県の教育委員会が提案したら3教育委員会とも異論はなかった。石垣市の教育長・玉津さんは多数決反対といっていたようです。だけど、同じ石垣市でも教育委員長のほうはOKといった。それで、教育委員の中で多数決をとることに決まりました。教育委員が何人いるかというと、石垣市は5人、教育長も教育委員でしたから、教育長を入れて5人、それから竹富町も5人、与那国町は小さい自治体なので教育長をいれて教育委員は3人しかいない。合わせると13人です。その13人で多数決をとったら、東京書籍が8人、育鵬社が5人だった。その8人の内訳は、竹富町5人全員。それから、石垣市は5人のうち2人が東京書籍、3人が育鵬社です。与那国町も1人は東京書籍、2人が育鵬社にいれました。与那国と石垣は教育委員のあいだで意見が分かれていた。竹富町は5人全員が東京書籍。

これで決まりですね、東京書籍でいいですねと、その場にいた教育委員は同意した。だけど、そのあと石垣市の教育委員会から、あの合意は成立していないと異論が出てきたわけです。それがまた不思議なことに教育長の出した文書と、教育委員長が出した文書が別々にあった。教育委員長はあの多数決は成立しているといい、教育長は成立していないという。教育長は、多数決で決めるということに合意した覚えはない、石垣市教育委員会として合意した覚えはないといってひっくり返した。でも、教育委員長のほうは、いや、あの合意は成立しているという。委員長のいってることと教育長のいってること、どっちが石垣市教育委員会の意思なんだとこれが問われたわけです。

そのときにまた文部科学省は姑息なことをいいました。公印が押してあるほうが正式な意思表示であるという。公印を管理しているのは教育長だから、教育長は自分の文書に公印を押しています。委員長は非常勤だし、自分で公印を管理してないわけですから、その教育委員会の判子を押すことはできない。ですが、法律上は教育委員長が教育委員会を代表する権限をもっています。教育委員長があの合意は成立しているといっているのに、委員長の出してきた文書には公印を押してないから効力はないとは屁理屈です。教育長が出した文書には公印が押してあるからこれが正式なものだといって、石垣市教育委員会の正式な意見は、教育委員全員協議の場での多数決は成立していないということだといって、結局意見が分かれた状態に戻してしまった。

それは、意見が分かれたままの状態なのであって、どちらかが正しいということではありません。べつに石垣市、与那国町が推したほうが正しくて、竹富町のほうがまちがいだということはないわけです。この事件が起きたのは、2011年ですから、まだ民主党政権の時代です。ところが、当時野党の自民党の義家弘介さん（ひょっとすると萩生田光一さんの次の文部科学大臣になるかもしれません）が、石垣市の玉津教育長と連絡を取りつづけていました。石垣市が思う方向に誘導するように、義家さんという政治家が、野党の立場でありながら文部科学省の初等中等教育局に強く働きかけをしていたわけです。

そのとき私は大臣官房にいたので、いったい何が起こってるのか直接は見聞きしていません。ただ、今から思うに、当時の文部科学省の初等中等教育局にいた八重山問題を扱っていた人たちが当時の野党の自民党とつながっていたのでしょう。義家さんに忖度というよりも義家さんにいわれて動いていた。当時、次に選挙をやったら民主党は倒れるだろう、次はもう自民党政権になるだろうと思われていた時期です。義家さんがまた政権に復帰してくるだろうと考えたのでしょう。実際、第二次安倍政権ができたときに義家さんは文部科学大臣政務官で文部科学省に来ました。将来の保身と出世を考えた文部官僚が義家さんのいうことを聞いたということなのだろうと思います。結果的に文部科学省自身が、石垣市のほうに都合のいい理屈をつくった。最初の協議会における多数決が正しいことにして、そこで少数だった竹富町は多数だった石垣市、与那国町の意見に従わなければいけないという理屈をつくった。

私は初めからおかしいと思っていました。ただ意見が分かれただけなのに、どっちかが適法でどっちかが違法だなんていう話はない。教育委員全員協議までやって、一旦、東京書籍になった時点もあったのに、それが壊れたわけであって、採択は両方とも認めるしかない。あとは無償措置をするかどうかです。採択は認めるとしても、無償措置を認めないとしたら文部科学省が購入してあげるのではなくて、勝手に採択してくださいということになる。その教科書代は自分たちで負担してねという話になるわけです。両方の採択を認めた上で、両方とも無償措置の対象にしないか両方とも無償措置をするかの選択しかなかったはずです。

民主党政権時代の文科省がやったのは、両方とも採択を認める、しかし無償措置は石垣と与那国だけに認める、竹富の無償措置はしないという差別でした。それでも採択自体は有効だと認めた。実際に竹富町で公民教科書を使う中学生は20数人しかいなかったわけです。たいしたお金は掛けなくても全部賄える額だった。竹富町は寄付金で東京書籍の教科書を購入し生徒たちに給与しました。中途半端な決着でしたが、民主党政権時代にはそれでおさまりました。それでも私はおかしいと思ってましたが。

ところが、民主党政権が倒れて自民党政権になって義家さんが文部科学大臣政務官で乗りこんできて、下村さんが大臣になった。それで、この話を蒸し返しました。民主党政権時代は両方とも採択は認めるけれども、無償措置は竹富には認めないっていうことでおさまっていたのに。そもそも竹富町が東京書籍の教科書を採択したことが違法だといってその採択をひっくり返そうとしました。つまり、竹富町がいやがっている育鵬社の教科書を使わせようとしたわけです。そのときに私がまた初等中等教育局長になってしまいました。これはいくらなんでも、こんな無茶、無理を竹富町に強いるわけにはいかないと私は思いましたよ。もとはといえば私の前任者たちがまちがった行政をしてしまったわけです。どうやってそれを収拾しようかとずい分考えました。大臣の下村さんも大臣政務官の義家さんも、とにかく竹富町の採択が違法なんだから適法な採択をさせろという。指導しろというので、一応指導していました。

だけど、私は初等中等教育局長のポストに就く前、統括審議官のポストにいたときから沖縄県の知り合いのかたがいたので、連絡をとりあっていました。これは今の文科省がおかしいと思うという話を伝えていました。私がそのときに話をしていたのは、当時すでに県の教育長を退いていた仲村守和さんです。２００７年の教科書検定問題で大変ご苦労された方です。私は仲村さんには文科省の考え方がおかしいと思っているとずっといっていました。そういう話をしているなかで、私はその担当の局長になったので、県教育長の諸見里明さんと直接話をして、私はともかく今の文科省の姿勢がおかしいと思っているから、なんとか竹富町の望む教科書が採択できるように収拾したいと思っているということをお伝えしました。

もっとも成功した面従腹背

前川　ちょうどそのときにもち上がっていたのが、この教科書無償措置法という法律を変えようという話。これも与党・自民党のなかから出てきた話です。もう竹富町のような「不届き者」が出ないようにするために力で抑えこんで共同採択地区のなかで採択する教科書を必ず一本化する仕組みを導入する、こういう改正をしようとしました。私は表向きそういう法律改正を実際用意しました。採択協議会をつくったら、かならず規約のなかに採択を一本化する方法を書き入れなさいという改正です。共同採択地区の教育委員会のあいだで意見が分かれた場合には多数決で決めるとか、あるいは会長が決めるとか、必ず一本化できる方法を書き入れろという法律改正案を用意したわけです。ところが一方でこの法案には別の改正点を潜りこませました。潜りこませたというよりも、堂々と見える形で入れたのですが、その改正点の本当の目的は隠していたのです。その改正点とは、共同採択地区の町村を郡単位で縛るというのをやめるという内容でした。郡のなかの町村をばらしていいということです。

これを私は、八重山のための改正ではありませんといって説明したのです。八重山は肩寄せあって島々があるから、ちょっと与那国は遠いけれど、竹富と石垣はすごく近い。しかも、竹富町の町役場は石垣島にあるのです。「それだけ近い関係なんだから、これを分けるのはおかしいと思います」と説明していました。「歴史的にも文化的にも地理的にも一体性をもった地域だから、八重山の三市町は引きつづき一つの採択地区であるべきものだと考えております」といって。その採択地区を決める権限は、法律の改正前も後もあくまでも県の教育委員会のほうにある。ここは諸見里さんと示しあわせて、「県の教育長はこの法律改正が行なわれても、八重山採択地区を分けるつもりはないといってます、引き続き八重山は三つの自治体で一つの教科書採択地区にすると、こういうことを県の教育長はいっております」と説明していました。諸見里さんもじつは竹富町とほかの二市町を分けるつもりでいたんだけど、「県の教育長は分けるつもりはありません」といって、「八重山のための改正じゃないんです」と一貫して説明しました。実際、本来この改正は八重山のためのものではなかったのです。郡単位でしばられるという決まりが明らかに不都合になってたのです。隣接しない町村どうしが共同採択地区にならざるをえないケースが出ていたのです。「郡の真ん中が市町村合併で市になって、西の端っこと東の端っこに町と村が残っていて、この離れた町と村が共同採択するなんていう変な形になってる、これはおかしいでしょ」。みんさん、なんとなく納得してくれました。

教科書無償措置法の改正が国会をとおり、公布・施行されたのが２０１４年４月。もうとにかく時を置かずに、沖縄県教育委員会にはこの改正法に基づいて採択地区の見直しをしてもらいました。結果的に竹富町を分けました。そのとき義家さんはすでに文部科学副大臣を辞めて党のほうに戻っていましたが、散々いわれました。「分けないといってたじゃないか、なぜ八重山を分けて、竹富町を独立した採択地区にしたんだ」といわれて。「いや、これは沖縄県の教育委員会が勝手にやっちゃったんです」と答えました。「だけど教育長は分けないといってたじゃないか」といわれて、「いや、教育長はそういってたんですけど、教育委員会に諮ったらやっぱり分けるってことになったみたいです」といってですね（笑）。諸見里教育長も自民党の会議に呼びつけられて責め立てられましたが、がんばりました。

そうやってかなり狡猾というかずるいやり方なんだけど、竹富町が自ら望む教科書を採択できるように細工しました。だけど、私は最後の最後まで沖縄に対しては悪役だったんですよ。私はずっと強面で沖縄県や竹富町に対して、つまり、大臣や副大臣の命を受けて、指導する立場の顔でずっと一貫していましたから。たんなる指導では駄目というので、「是正の要求」という地方自治法上の権限まで発動しました。

最初にやったのは県に対してです。地方自治法上、国は市町村がやっていることが違法だと思ったら、それを是正させるために、県に対して「指示」をして、県から是正の要求を出させるという仕組みがあります。２０１３年の10月、文部科学省が沖縄県に対し、竹富町に是正要求を行なうよう指示しました。この「指示」には拘束力があるので必ず是正要求しなければならない。にもかかわらず、沖縄県教育委員会はずっと検討しつづけた。じつは、私は諸見里さんに、ずっと検討しつづけてください、是正の要求をしないという決定はしないで、しかも、するという決定もしないでずっと中途半端のまま、そのあいだに法律改正するから、是正の要求をするともしないともしない状態で現在検討中というままにしてもらった。

それに業を煮やした下村大臣と義家政務官は、もう県を通じてじゃ駄目だ、国が直接市町村に是正の要求をするという方法があるので、その是正の要求をしました。竹富町に対して文科省が直接やったのです。2014年3月のことです。4月には竹富町の教育長に文科省に来てもらいました。竹富町の慶田盛安三教育長さんにはるばる文科省まで来てもらって、局長室の応接セットに座ってもらって、私が厳しく是正の要求をするという場面を記者たちやカメラマンがいるところで大臣や政務官にいわれたとおりにやりました。そして、メディアがいなくなったところでドアを締めて、「じつはですね」という話をして、「法律改正が通ったので竹富町をもう分離して独立した採択地区にできると思う。県の教育長もそのつもりでいるから、それまで我慢してください。今日のところはとにかく物別れっていうことにしてください」という話をした。

慶田盛さんも了解ということで。慶田盛さんは文部科学省の記者会見室で記者会見をしました。そのときの慶田盛さんのすごい演技力。「はるばる文科省まで来たのに、まったく理解してもらえず残念」といって嘆いてみせたり。文科省の指導には従えない。竹富町は竹富町の考え方を貫くっていう姿勢を示してた。私は私で記者会見を求められたので、「いくらいっても聞いてくれない頑固な人だ」みたいなことをいった（笑）。

本来、メディアにそんな嘘をついてはいけないのですが……、まあ、今の政権は散々嘘をついていますね。私は、国会に対してもメディアに対しても嘘をついてきたということについてはちょっと心の痛みをもっていたので、早く真相を話さないといけないと思っていました。とはいえ、文科省にいるあいだはできない。文科省を辞めて、沖縄のほうでもOKといってくれたら、オープンにしたほうがいいと思っていました。でも、意外と早く辞めた（笑）。それで、諸見里さんや、慶田盛さんに聞いて、その話、オープンにしてもいいといってくださったので、あちこちでこの話をしています。私は一番成功した面従腹背だと思っています。表面上は完全に面従していました。いわれたとおりに、強面で指導するなんていうこともしましたが、完全に腹背していて、竹富町の思いどおりの採択ができるように仕組みを作り替えていった。私自身は竹富町に対して権力的に文部科学省の意向を押しつけようとした極悪非道な局長を演じていたわけです。

今、安倍政権下の各地で起きている教科書採択では、本来教育委員会の権限なのに、そこに首長が口を挟んでくるということがあちこちで起こっています。私はさっき教科書検定についても今の制度ではなく、独立した第三者機関が合議制で決めたほうがいいし、それは学者の集まりであるべきだということを申し上げましたけど、教科書の採択に関しては学校ごとに採択するということにすべきだと思います。本来学校の教育課程（カリキュラム）は学校ごとに決めるものです。大枠の基準としての学習指導要領はありますが、学校ごとの自由度はものすごく高い。いろんな工夫ができるし、子どもたちの実態に合わせてカリキュラムは編成すべきものなのです。だったら、それぞれのカリキュラムに応じて学校ごとに教科書は異なっているほうが当たり前です。だから、教科書は学校採択にすべきだと私は思います。もちろん、保護者とか子どもたちの意見を聞くのはあってもいいとは思いますけど、カリキュラムを作る教員が中心になってどの教科書を使うかっていうのを決めるのがまっとうだと思います。

竹富町は独立の拠点になりうる

松島　石垣では中山義隆さんが2010年に市長になってから、玉津博克さんという教育長を任命して、育鵬社の採択に向けた道をつけました。教科書問題と同時に中山市長は、自衛隊基地を石垣島につくる計画を推進し、それと関連しますが、尖閣諸島は「日本の固有領土」なんだということを石垣島から声高に発信し始めました。2010年に「尖閣諸島開拓の日」というのをつくりました。その日として、日本政府の内閣が同諸島の領有化を決定した、1895年1月14日の月日が選ばれました。2012年に石原慎太郎・東京都知事が尖閣諸島を買収にかかったときに中山さんが石原さんの後ろのほうにいて、尖閣買収に対する石垣市による関与の姿勢を示しました。ですから、この尖閣と自衛隊について中山さんたちの主張にそった線で書かれた育鵬社の教科書を採択するという方針が決定されたのでしょう。中山さん自身も、同教科書が尖閣諸島の日本領有を明確に主張していたので、その採択が望ましいと、自らの本で述べています。いわば、教科書、領土問題、自衛隊が3点セットで、それを石垣市、また八重山諸島全体（石垣市、竹富町、与那国町）で実現するという意気ごみだった。

竹富町が、この育鵬社の教科書を拒否して採択しない背景には、やはり沖縄戦があります。沖縄戦の前に、波照間島に陸軍中野学校の卒業生がやってきます。身分を隠したまま島民にとりいりながら、ある日突然態度を変えて日本軍の命令だといって西表島のマラリアが猖獗（しょうけつ）しているところに島民を強制移住させました。そして多くの島民が亡くなり、さらに島に残っていた家畜や農産物などの食料は戦争中に日本軍が食べつくして、戻ってきた島民は大変な苦労を余儀なくされました。私は石垣島の生まれです。石垣島でもマラリアが発生していました。私の母親を含む家族も、日本軍によって、強制的に移動させられた。あの山に避難するとマラリアに罹る、大変危険であると認識していましたが、日本軍の軍命によって死を覚悟した山への避難を余儀なくされました。母も8歳のときにマラリアに罹患しました。腹部が膨張し、高熱を発し、たいへん苦しかったそうです。母は九死に一生を得ましたが、私の曽祖母の大浜ウナヒトはマラリアで亡くなりました。八重山諸島全体でマラリアによって、３６００以上の人が亡くなりました。東京書籍の公民教科書の特徴は、沖縄戦について詳しく記述し、平和の尊さを考えさせるところにあります。沖縄戦の際、マラリアの巣窟であった西表島南風見田に、波照間島民が軍命によって強制疎開させられ、多くの島民が命を失いました。その悲惨な事件の記憶を忘却させないために、教員の識名信昇が「忘勿石　ハテルマ　シキナ」という文字を石に刻んだ石碑が今も西表島に残っています。慶田盛教育長は波照間島の生まれであり、同級生たちがマラリアで命を落とすのを見ており、それもあり、育鵬社の教科書の採択を強く拒否したのではないかと思います。

そういった戦争の記憶が残っています。武器を使った虐殺ではありませんが、軍命によって強制移住させられ、そこでマラリアにかかって死んでいくというのも、軍命による虐殺です。戦争遂行上、住民に対して大変危険な場所への移動を強制したのですから、強制的集団死（いわゆる集団自決）と同じく、日本軍による住民虐殺です。

そういった歴史の教訓を竹富町教育委員会はちゃんと踏まえて、東京書籍を選んだのでしょう。いまお話ししたような戦争中の悲惨な、苦しい思い出もあるので、自衛隊の基地はつくらせないという反対運動が今でも盛んに行なわれているのです。西表島は、竹富町の行政区分内にはいりますが、西表島の石垣金星さんは、自然とか文化をもとにした島づくりを実践している独立論者の一人です。石垣金星さん以外にも島の自然と文化を大事にした島づくりを目指すかたがたが竹富町には多くいらっしゃいます。そういった町民の姿勢が、石垣市や与那国町とは違う、独自の路線を貫くことにつながっているんじゃないかと思います。

前川　なるほど。共同採択制度は今でもあるわけで、共同採択の地区というのは地理的歴史的文化的に共通性のある地域を一つの教科書採択地区にするという説明になっているわけです。だから、石垣・与那国と竹富町を分離するにあたっては「竹富町には他の二市町と共通ではない独自の地理的歴史的文化的背景があるということを説明しなきゃいけないんですけど、大丈夫ですか」と慶田盛さんに聞いたら、ああ、大丈夫、ちがうからといっていました（笑）。まあ、石垣は石垣島っていう島だけど、竹富町というのはたくさん島がありますね。

松島　そうです。

前川　だから、竹富町のなかにもいろんな多様性があるのだろうと思います。言葉もちがいますか。

松島　そうです、ちょっとずつちがいます。生業もちがいます。黒島は、人間よりも牛の数が多いという島でもありますし、西表島は島の90％以上が大きな森です。島ごとに生業も歴史も、あるいは神話もちがいます。竹富島では、島おこし運動（島の政治経済的、社会的な自律を目指す運動）も盛んで、1980年代に島の土地の買収問題が発生しました。本土資本によって、一時期は島の3分の1の土地が買収されてしまいました。島の危機に対して、島の人びとが、島嶼自治の拠点である公民館に集まって、竹富島憲章をつくりました。これ以上土地を売らない、そして、住みよい竹富島にすると、みんなで文言を決めて憲章をつくりました。この憲章には法的な拘束力はありませんが、住民の合意によって作られたものであり、「実効的な拘束力」をもっているといえます。その竹富島憲章に基づいて、島おこし運動をしてきました。今、あるリゾート開発会社が、コンドイビーチという、非常に美しい、住民や観光客に開放されている海浜地帯を買い占めて、ホテルを建設しようとしています。住民との話しあいもなく、一方的に開発を進めるやり方に対して、竹富島憲章の精神に基づいて反対運動をくり広げています。一方、星野リゾートという他のリゾート会社は何年も公民館で住民と話しあって、塩漬けになった島の土地を星野リゾートが購入し、島の景観と調和したリゾートを建設し、将来、その土地を公民館に無償譲渡するという協定を結びました。その結果、同リゾートは営業ができるにようになりました。竹富島には、次のような教訓のことばあります。「かしくさや、うつぐみどぅまさる」。この意味は、一人の優れた人よりも、島の人びとの相互扶助が大切であるという意味です。相互扶助は、琉球の言葉で「ゆいまーる」と言われ、他の島々でも、今でも、ゆいまーるが実践されています。島民同士の相互扶助に基づく、自律的な営みが、教科書採択の局面でも発揮されたと言えます。

前川　竹富町は琉球独立の一つの拠点になるんじゃないか（笑）。

松島　そう思います。いろんな意味で。

前川　あの気骨には感服しましたよ。とくに慶田盛さんの（笑）。

（２０１９年９月26日、明石書店）

Ⅱ　歴史・法・植民地責任

――ニューカレドニアから琉球を見る

佐藤幸男×前川喜平×松島泰勝

独立をめぐる国際法

松島泰勝　琉球独立の歴史的、法的な根拠はいろいろありますが、一番の根拠は、もともと琉球は「琉球国」という国であったということです。琉球国の最初は三山時代といって、沖縄島の北から北山国、中山国、南山国という3つの国が、14世紀初めから15世紀初めまで存在していました。1429年に第一尚氏によって統一されていきます。統一された琉球国は1879年まで続きました。

日本の歴史教科書では、この1879年に「琉球処分」があったと書かれています。「処分」というからには、明治政府にとっては琉球国側に問題があったという認識でしょう。何を問題にしたか。明治政府は1872年に一方的に、まずは琉球国を「琉球藩」という名前にして、国だったものを藩にした。国王を「藩王」というふうに一方的に変えてしまったのです。そのあと明治政府が「琉球藩」に命じたことは、清朝との貿易外交の停止です。さらには日本の軍隊の受け入れです。あとは刑法などの法律改定です。内政権、外交権にどんどん干渉していきました。しかし、琉球国はそういった明治政府からの干渉にもかかわらず清朝との朝貢貿易をつづけました。つまり逆らったわけです。

明治政府はいろいろな命令を拒否されたことで、大問題だ、これは処分しなければいけないと考え、松田道之（琉球処分官）を派遣しました。そのときに熊本鎮台分遣隊という日本陸軍約400人、そして警察官を約160人を動員して首里城に乗りこんできました。国王・尚泰を、首里城から追い出しました。

さらに、1850年代に琉球国は、アメリカ合衆国、フランス、オランダと修好条約を結んでいましたが、その原本を渡せといって無理やりとりあげました。現在その原本は東京の外交史料館（外務省所管）にあります。そのように無理やり琉球国を潰したのです。

1969年に作られた、「条約法に関するウイーン条約」の中の51条（「条約に拘束されることについての国の同意の表明は、当該国の代表者に対する行為又は脅迫による強制の結果行われたものである場合には、いかなる法的効果も有しない」）、国の代表者に対する強制という問題にあたります。国王をむりやり廃位させ、琉球国を解体したのですから、こうした強制による併合は無効であるというような内容です。こういった国際慣習法から照らしてもこの琉球併合は違法であるといえます。韓国併合も同様に違法であり、琉球併合も違法であるという議論が今出てきています。その結果、1879年以降、琉球は日本の植民地になりました。「沖縄県」という名称も日本政府が名づけたもので、琉球人がつけたものではありません。

琉球はそうやって日本の植民地になって、そして沖縄戦がおきた。その後米軍が軍事統治をしていく。そこでまた国際法の問題が出てきます。1951年にサンフランシスコ平和条約が結ばれます。その第3条（「日本国は、北緯二十九度以南の南西諸島［琉球諸島及び大東諸島を含む］……を合衆国を唯一の施政権者とする信託統治制度の下におくこととする国際連合に対する合衆国のいかなる提案にも同意する。このような提案が行われ且つ可決されるまで、合衆国は、領水を含むこれらの諸島の領域及び住民に対して、行政、立法及び司法上の権力の全部及び一部を行使する権利を有するものとする」）に、琉球は、将来、信託統治領にすると明記されました。ですから、沖縄を統治していた米軍政府は、将来は琉球を信託統治領にして、たとえばミクロネシアのパラオ、ミクロネシア連邦、マーシャル諸島等々のように信託統治領にした後に国連監視下で住民投票を実施して、住民が政治的地位を決定できるようにしなければならなかった。しかし、アメリカ政府はそれをしなかった。

前川喜平　サンフランシスコ平和条約のときには潜在主権という考え方がなかったのでしょうか。

松島　潜在主権という言葉はありましたが、米国政府の国務長官であったダレスが潜在主権を認めるといっただけの話で、国際法上は条約のような形でその内容は何も明記されていません。日本政府は琉球に対する潜在主権をもっていたという割りには何もしなかった。国家、政府として、その軍事統治下の琉球に対して何もしない、ただ潜在主権をもっていたというだけ。そのように、信託統治領化の実現と、それにつづく住民の自己決定という手続きをとらなかったという問題もまだまだ解決されてない。沖縄返還協定が1972年に発効して、現在の沖縄県になりますが、この沖縄返還協定もアメリカ政府と日本政府の話し合いだけで決めたものです。「復帰」前にあった琉球政府の主席であった、屋良朝苗さんをはじめ、住民を代表する人たちは話し合いにも招かれないという形で決められました。しかも、有事の際の核のもちこみの容認などの密約が含まれて、非常に問題のある「復帰」でした。その結果として現在の沖縄県があるという状態で、沖縄の植民地という状態はまだつづいているといっていいのです。

こういった状態にかんして現在の国連はどういうふうに琉球を見ているか。2008年から去年まで人種差別撤廃委員会、自由権規約委員会などで6回の勧告が日本政府に出されています。その一つには、琉球、沖縄の人びとは先住民族であるという勧告があります。先住民族というのは、植民地支配下の人びとが自分たちは先住民族であると自覚したら先住民族になるという一応の定義があります。そうした勧告が出たということは、琉球が植民地支配下におかれているということを国連は認めているということでもあるわけです。先住民族は自己決定権をもっていますので、その自己決定権を行使して、新たな政治的な地位を選択することができます。国連の勧告のなかには、米軍基地の集中は人種差別であり、日本政府は改善しなさいというものもあります。しかし、こうした6回の勧告に対して日本政府は一切答えない、またはその撤回を求めており、国際的に孤立する方向に進んでいます。

これまでは「居酒屋独立論」と琉球でいわれていたように、具体的、現実的な選択肢としては語られず、文学的といいますか、希望といいますか、そのような形で琉球独立論が語られてきました。

前川　ロマンですか。

松島　そう、ロマン、居酒屋でお酒を飲んで、頭がカッときたときに発する。そういった情熱を私は重要だと思いますが……。私にとって独立が具体的な課題だと思えたのは、グアムとパラオに3年間生活してからです。とくにパラオで1年間生活したときに、独立しても、全然問題じゃないと感じました。2万人近い人口で1994年にアメリカから独立して、大きな問題もなく、平和に暮らしています。外交権、内政権はもっていますが、軍事権は今でもアメリカがもっている。しかしながら琉球のように広大な米軍基地があるわけでもない。完全独立だけでなく、場合によっては自由連合国のような独立もあるというふうに、パラオでの生活の経験から思うようになった。

第二の沖縄戦への不安

松島　それから、もう一つ、私が危惧していることがあります。独立をしなければ琉球がまた第二の沖縄戦にまきこまれるという恐れをここ数年もちつづけています。いわゆる島嶼防衛といわれるものです。尖閣諸島を日本は守るということを名目に、中国脅威論を煽り立てて、奄美諸島、沖縄諸島、宮古諸島、八重山諸島に米軍基地、自衛隊基地が近年、立てつづけに建設されています。ご存知のとおり、２０１９年2月28日の「県民投票」でも示された県民の民意にもかかわらず、辺野古の米軍基地を作るといって強引に工事がすすめられている。自衛隊と米軍は同盟関係に基づき、共同運用ということになり、ますます基地被害が酷くなることが予想されます。日本政府は琉球の人びとの気持ちも考えずに国策を遂行している。こういった国から早く出ないとまた戦場にさせられる。

琉球独立論を主張すると、中国脅威論、「独立したら中国が侵略しますよ、危ないですよ」と、いわれることも多い。中国と琉球との関係、日本と琉球との関係を考えてみてください。これまで少なくとも日本は琉球に2回侵略しています。そして、今も植民地にしている。中国はこれまで一度も琉球を侵略したことはありませんし、かえって、いろんな文化的、人的な交流や影響をもたらしています。ですから、将来中国が侵略してくることを恐れるよりも、これまで日本が侵略してきて、さんざん酷いことをして、今もしていることをなんとか除去するということが、当事者、被害者にとっては第一の選択肢になります。中国脅威論を煽って、自らの侵略の歴史と、現在進行中の植民地支配を隠蔽しようとしています。

前川　中国の侵略というのは、私も考えられません。香港であんなに手を焼いてるのに（笑）、沖縄をほしいと思うはずがない。中国脅威論こそ居酒屋でやるべき話だと思うな。

松島　琉球独立論には、経済的な理由、政治的な理由、いろいろありますが、その土台はやはり精神的、文化的なものが重要です。後でふれるニューカレドニアでも同様ですが、70年代80年代にはじまった言語復興運動、つまり島の先住民族の言葉であるカナク語をとりもどすための、文化復興運動が独立運動に発展しました。今、琉球でも、ユネスコによって絶滅危惧言語と指定されている琉球諸語をとりもどして使っていこうという運動が盛んに行なわれています。今日の『沖縄タイムス』にも琉球諸語を第二公用語にしようという提言が出ていました。琉球諸語を研究者が研究するだけではなく、各地域で使っていこうという活動が草の根的に行なわれています。子どもたちが琉球の言葉を使って発表会をするとか、地元の新聞やラジオ、テレビで琉球諸語で記事が書かれ、番組が放送されるなど、いろんな活動が進められています。

私が今一番力を入れている遺骨の返還運動も琉球独立運動とつながっています。琉球人遺骨は、京大のみならず東大、九大など、日本のいろいろな大学にあります。沖縄島今帰仁村にある百按司墓以外にも、琉球列島のいろんな所から研究者によって琉球人や奄美人の遺骨が盗掘されました。ご先祖の遺骨を島に戻して、再風葬を行なうという、遺骨返還運動を通じて、自分たちの歴史や文化とはなんだったのか、琉球民族とは何なのか、琉球が日本の植民地であるということを皮膚感覚で認識するということが、現在、琉球で行なわれています。琉球民族のご先祖の遺骨がとられたままだと、日本人研究者がこの遺骨を研究素材にして、琉球の歴史はこうですよ、ああですよというふうに、一方的に他者（専門家）によって決められてしまう。他律的な歴史となる。そうではなく、自分たちで歴史を考えていく、作っていくという、主体性回復の運動という側面もあると思っています。

この米軍基地や自衛隊基地に対する反基地運動は、政治的な運動という側面だけではなく、自分たちの土地をとりもどすという側面もあるのです。島の土地には、歴史や文化が深く染みこんでいます。１９５０年代に「島ぐるみ闘争」と呼ばれる、米軍に抵抗する、民衆主体の闘いがありました。アメリカ軍政府が一括して土地を買い上げる、借り上げる方式で琉球人の土地を無理やり集めて米軍基地にしていくときに、琉球の人びとが抵抗した運動です。経済闘争、地代を上げろとか、買取でじゃなく賃貸でといった、経済的な面もあります。しかしそれ以上に、土地と島の人は強固に結びついていて、自分たちの土地に住めなくなったら、どこかに移住せざるをえない、大事な生存の根拠を失ってしまう。精神的な柱を失うということで、文化的な運動としての側面もありました。

翁長雄志さんが「イデオロギーよりもアイデンティティ」といって知事に当選されて、辺野古の基地反対運動をしたように、自分たちは何者なんだという問いがオール沖縄という動きにつながっているのです。

「ごさまる科」とはなにか

松島　中城村の話をします。中城村は沖縄島の中部にある、普天間基地がある、宜野湾市のちょっと北にある村です。なぜそこに私が関心をもったかというと、先ほどの遺骨の問題にからみます。京都帝国大学の金関丈夫助教授は百按司墓から遺骨をとっただけではなくて、「中城城」、その周辺からも琉球人の遺骨を盗掘しました。何年に亡くなったかということ、母親と子どもを父親が葬ったことも明記されていた、厨子甕という甕に納められた遺骨も金関は盗みました。そういった遺骨がどんなふうに、どんな所からとられたかということを調べるために、中城村護佐丸歴史資料図書館という所に10名ぐらいの仲間と一緒に行きました。館長さんに、遺骨盗掘の事実を伝え、盗掘された遺骨のご子孫の調査をお願いしました。

さらに、同村の試みとして、大変関心をもったこととして、今からご紹介したいのが「ごさまる科」のことです。文部科学省の教育課程特例校指定という制度がありまして、2014年に琉球史「ごさまる科」という授業において、村の小学校で子どもたちに琉球の歴史を正規科目として教えているのです。琉球では、日本史をはじめ他の科目でも、日本本土で作られた教科書に基づいた教育というのがこれまで一般的でした。地域の歴史を中心にした教科は、県内でも初めてだそうです。浜田京介村長によると、「私たちは信長、家康を知っていても、琉球の英雄は知らない。ウチナーンチュのルーツを郷土の英雄である護佐丸という人物を通じて学んでほしい」と述べています。「ごさまる科」の授業は、1年間で、小学校1年2年は10時間、3年4年は12時間、5年は13時間、6年は15時間、それぞれ、総合学習の時間をふり替えて教えているということです。ですから担当教員の選択ではなく、制度として琉球史を村の小学校で教えるという、画期的な教育が行なわれているのです。現行の教育課程では、6年生が日本史や世界史などを学ぶことになりますが、琉球史はそのなかの一部にとどまり、断片的です。この中城村の「ごさまる科」では、護佐丸による築城の経緯、グスク時代、三山統一などを1年から6年まで、琉球史を体系的に学べるように科目設定が行なわれています。さらに、護佐丸にかんする創作劇の脚本を作ったり、いろんな試みも行なわれています。

中城村護佐丸歴史資料図書館に行くと、1階にはまずは子どもたちが楽しく歴史を学べるようなビジュアル、面白そうな、楽しそうな、写真などがあって、2階に図書館のスペースがある。これからの琉球をつくっていく子どもたちが、この島の、地域の歴史を、皆で楽しく学ぶことができそうです。もともと村は、琉球ではカタカナの「シマ」といって、地域共同体を意味しますが、シマの歴史を護佐丸という人物を中心に学んでいく。

独立前からすでにこういった試みをしているということは、琉球の将来に大変希望をもつことができます。自分のアイデンティティ、自分は何者かということを、シマの歴史や文化を通じて、幼い頃から考えていく。そして琉球人、ウチナーンチュという、強い意識をもった子どもたちが増えれば、自己決定権の行使にとってとてもいいだろうと思っています。

前川　教育課程特例制度というのは、最初は構造改革特区という仕組みからはじまって、それを全国化したもので、構造改革特区のなかでも成功した例です。もともとそういう多様性を認めるべきだったのを、ずっと学習指導要領で画一的な教育でやっていた仕組みを維持してきましたが、この教育課程特例制度は学習指導要領どおりにやならくてもいいという制度です。ようやく風穴をあけたともいえます。そのなかに位置づけられているのでしょう。ごさまる科は、総合的な学習の時間を使っていますか。

松島　そうです。

前川　たとえば、東京でも品川区が、総合的な学習の時間と道徳とをくっつけて、市民科というのをつくっています。北海道の羅臼町の小中学校では、国語・社会・理科などの時間を減らして「知床学」という教科をつくっています。私はもっとこの特例制度は全国で使われたらいいと思っています。でも、今のお話をうかがって、琉球ではこの制度は別の特別な意味をもつと思いました。アイデンティティをとりもどすための教育に使える制度としてね。とくに社会科にあてはまるでしょうか。たとえば数学で琉球の数学というのはない。だけど国語とか社会とか音楽という教科になると、琉球ならではの内容がたくさんあるわけです。日本の教育では、明治以来、中央政府が中央でつくった教育を押しつけてきたわけです。理科でも動植物にかんするものは、地域によってちがいます。地域によってちがう花が咲いてるし、ちがう動物もいる、同じ花だって咲く時期がちがう。自然とか歴史とか、あるいは文化とかのちがいが、教科内容にも反映されてしかるべきです。今まで一律でなければいけないという考え方だった。そこに風穴をあけたという意味で、非常に使える制度だと思う。中城村はうまくそれを使ってるなと思います。もっともっと広げていったらいいと思います。歴史だけじゃなくて公民にも使うとか。

この教育課程特例制度のもう一ついいところは、学習指導要領のタテ割りの教科の枠を越えて新しい教科をつくると、文科省が検定した教科書を使わなくてもよくなることです。社会科とは別のごさまる科をつくると、ごさまる科の検定教科書はないわけです。だから検定教科書使用義務から逃れられる。日本中の小中学校の各教科というのは、学習指導要領で決まっていて、各教科ごとに必ず検定教科書があって、その検定教科書を必ず使わなきゃいけないという、検定教科書使用義務というのが課されています。ところがその教育課程特例制度を使えば、よそにない教科書が使える。

松島　ええ。それ使っていました。

前川　教科書使用義務という中央統制から外れることができるんです。だから、私もあちこちでどんどん使いなさいっていってっていってきています。あまり知られていなくて、「え、そんなのあったんですか」といわれる。これは、国語でもやったらいいと思います。それこそ、琉球諸語を国語の一環として、一定の割合は、日本語をやるのとは別に琉球の言葉を学習する。これは認められると思います。

かつての国語の学習指導要領には、「訛りなく話せるようにする」という目標まで書いてあって、訛りがあっちゃいけない、標準語を訛りなく話せるようにするのが国語教育の目的だという考え方が強く存在していました。それは琉球に限らず、日本全国、方言というもの、各地域のネイティブの言葉を撲滅するということでした。言語の統一で思い出すのはフランスです。フランスにはもともといろんな所にいろんな言葉がありましたが、フランス語で統一してしまった。方言札ももともとフランスではじまったものだといわれています。そういうことを参考に、日本には国民国家をつくっていくためには言語を統一しなければならないという明治以来の強い観念があったと思います。それが戦後も残っていたので、学習指導要領のなかに訛りなく話せるようにするっていう目標が書いてあった。今はその記述がなくなりました。その代わりに「方言を大切にする」という目標がはいりました。文部科学省的にいえば琉球語は方言だという位置づけですから、その方言を大事にしていいですという話になるはずです。琉球のアイデンティティからいえば、これは琉球の言語であって、日本語とは別の言語だとなりますが、方言というか言語というかは同じものをこっちから見るかあっちから見るかなので、文科省と話をするときは、それはとりあえず、放っておけばいいと思います（笑）。この特例制度を使えば、琉球の言葉を国語という教科のなかでも学べると思います。いろんな教科に琉球アイデンティティを盛りこんでいくことができるはずです。

「郷土を愛する」を援用する

松島　特例制度を使った授業の割合は全体の何%とか決まっていますか。たとえば、半分にできますか。

前川　けっこう大雑把ですよ（笑）。文部科学省の初等中等教育局の教育課程課というところが一件一件、認可することになってますが、かなり緩やかにやってる感じです。もう一つ手がかりにできるのは、第一次安倍内閣のときにできた改正教育基本法です。教育基本法の改正でわざわざ「郷土」という言葉をいれました。第2条で、「伝統と文化を尊重し、それらをはぐくんできた我が国と郷土を愛するとともに、他国を尊重し、国際社会の平和と発展に寄与する態度を養うこと」という目標が書いてあります。この条文をつっこんだ人たちが一番いれたかったのは「我が国を愛する」です。郷土はべつに書かなくてもよかったはずですが、これは統治機構としての国じゃない、生まれ育った場所という意味での国だと、だから郷土とつながっているという議論の延長線で、我が国だけではなくて、我が国と郷土をというのがはいったのです。それは、伝統と文化をはぐくんできた我が国と郷土なんだといっている。愛国心を教育の目標にいれようとした人たちは1890年頃から1945年ぐらいまでの大日本帝国のことを考えている。琉球王国の頃の話は念頭にない。だけど、これは使えます。琉球語の学習は、この教育基本法の精神にも則ったものなんですという説明ができる。

松島　ああ、なるほど。

前川　なんというか、敵が使ってる論理を、逆手にとって使う。

松島　なるほど。いいですね。

前川　まあ、私は敵方かもしれないけど（笑）。これは改正教育基本法の精神に則って、伝統や文化をはぐくんだ郷土を愛するための、教育課程の特例ですという説明が成り立つと思う。私はこの教育課程の特例制度も、それからこの教育基本法の条文もツールとして使えると思います。そうやって、いってみれば教育主権をとり返していく。

松島　検定も受けなくていい。

前川　検定教科書を使わなくていい。だから、学校教育施行規則で決められているタテ割の教科の構成をガラガラガラと変えてしまったら、検定教科書は一つも使わなくていいかもしれないです。たとえば音楽と美術と、小学校だったら図画工作と音楽と、国語の一部分とをもってきて、それで演劇とか舞台芸術もくっつけて、そのなかに組踊を入れてもいいだろうし、そうやって琉球芸術科なんていうのを作ってしまうとか、そういうのだってありだと思います。どのへんまで文科省が認めるかをちょっと試してみる価値はあると思う（笑）。

松島　これは中高でもいいんですか。

前川　小中高全部できます。高等学校の場合はもともと必修の部分は3分の1ぐらいで、あとの3分の2は選択ですから、学校ごとにいろんな科目がつくれるようになっています。中学まではガチッと学習指導要領で枠がはめられていますけど、高校はもともと自由度が高いですから、いろんなものを入れられる。教育課程特例制度を使えば、その必修の部分についても中身を変えることができるので、それこそ国語のなかに琉球諸語を入れていくということもできるし、政治経済だとか、日本史という教科のなかに琉球の政治経済とか琉球の歴史を盛こんでいくこともできるでしょう。

松島　なるほど。

前川　もちろん今現在は教科書を使って行なう日本史とは別に琉球史を科目として作ることはできます。それは特例制度を使わなくてもできます。だけど、この教育課程特例制度を使えば日本史のなかでもできる。

２０２２年から高等学校の学習指導要領が大きく変わります。その学習指導要領のなかで、今までは世界史と日本史は分かれていますが、必修の教科で歴史総合というのができて、世界史のなかで日本史を学ぶという教科です。しかも近現代に焦点を当てることになっていて、いくら遡っても大航海時代ぐらいまでしか遡らない。とくに18世紀、19世紀、20世紀のあたりに焦点を当てて学びます。世界史でいえば産業革命とか市民革命とかの後の時代です。帝国主義の時代が来て、帝国主義化した国が植民地をたくさんつくって……、そういうあたりをしっかり勉強することになります。今現在はどうなってるかというと、高等学校は世界史が必修で、日本史は必修ではありません。これに対して民族主義的な人たちが日本人なのに日本史が必修ではなく、世界史が必修なのはおかしいじゃないかっていいつづけてきました。「神武天皇からはじまる日本の歴史をなんで教えないんだ」みたいな人もいますね。神奈川県は県全体で、県立高校で日本史を必修にしています。そういう知事さんがいるからです（笑）。

松島　今の知事ですか。

前川　今もそうですけど、とくに前の松沢成文さんですね。日本史を必修にしろという声に、文科省がどうしたかというと、中央教育審議会で議論したうえで決めますといって、議論してもらいました。その結果、日本史を必修にします、でも世界史と一緒ですといって、しかも近現代を中心にということになりました。神武天皇からはやりません（笑）。そもそも神武天皇は歴史ではなく神話の世界の人物ですしね。新しい歴史総合では、世界史と一緒に、日本史を相対化しながら学ぶ。現代に直結する部分を学ぶ。世界史でも日本史でも遠い過去を勉強しても自分とどうつながってるかという感覚がないでしょう。メソポタミア文明だとか、縄文文化とか弥生文化とかといっても、今の自分とつながってるという感覚がない。だけど、18世紀19世紀のあたりになってくると、今の自分たちにつながっているという感覚がもてるでしょう。そういう意味で歴史総合という教科が導入されるのは一つのチャンスだと思う。

松島　そうですね。

前川　世界史と日本史と一緒に学ぶというわけですから、琉球であれば琉球史を中核において、琉球史に日本史と世界史をくっつけて新しい教科にする。これも特例制度を使えばできると思います。

松島　なるほど。琉球併合も、日本史、または中国史、アジア太平洋島嶼史との関連のなかでとらえる必要がありますので、非常に重要です。

前川　一つの国として主権をもつということは、教育においても主権をもたなければいけないんだろうと思う。教育の主権を回復する、琉球の教育を回復することが大事です。その暁には私は琉球政府文部科学省のお雇い外国人として（笑）。

松島　ああ、ぜひとも。

歴史総合の課題

佐藤幸男　今前川さんから出た社会科総合、あるいは歴史総合、国際学の分野でいうとグローバルヒストリーという形で日本史と世界史をドッキングさせる形で、縦軸だけで歴史を見るのではなく、これからは横軸に同時並行的に世界がどうやって動いてきたか、つまりどういう国や地域とかかわりな

がら自分たちが現在あるのかを考えさせる世界理解教育の新しい方法で、非常に視野を転換していくうえではとても大事な作業です。

とりわけ今問題になっている琉球の問題では、そこに浮上してくるのは、琉球というのは交易によって成り立っていた王国であるということです。つまり、琉球が王国として成り立つためにはどういうところからどういうものをもちこんで、どういう人たちがそういうものを使いながら、また中国はどこでどういう利益を得ようとして関係ができてきたのか。そういう国と国、あるいは人と人、物と物との関係性がどう組み立てられているのかというのを近代から見ていくことによって、現在のグローバル社会というかグローバリゼーションというものへ知識を広げていくという意味では非常に新しい試みとしてとりいれらている。

私は国際政治学・平和学が専門です。一国主義的な視点で歴史が完結してるような発想ではもう通用しない世の中になってきてるわけだから、もっと早くやるべきことだったと思う。こういう発想がはいってくるのはとても大事です。とりわけいわゆる周辺の境にある北海道とか、あるいは沖縄とかが辺境に追いやられたととらえがちで、「辺境」＝貧しい、あるいは遅れている、「未開」だという位置づけでとらえてきたのが一国主義的枠組みです。しかし、これが横に広がっていくとかならずしも辺境ではなかったというのが見えてきた。

かつての北海道も豊かであったし、アイヌの人たちとシベリアの人との交流は盛んだった。逆に北海道が開拓の対象になって、アイヌが追いやられていくという、歴史が外とのかかわりのなかで生まれてくるという原因を考えることにもなる。それはまた沖縄も同じで、琉球王国というのは、交易によって繁栄し、戦争をしなくても商売で豊かになっていく歴史を歩んできた人たちなんだということがわかってくる。それは必然的に、琉球から見て、台湾だ、中国だ、アジアだ、こういう交易の世界のなかにはいっていくわけだから、日本を中心としたアジアの地図ではなく、琉球を中心にしてアジアの地図を物の流れから見てみようとか、人の動きから見てみようという授業をやると、自分たちがかならずしも周辺にいたわけではないことが自覚できる。そこで自信をつけて、精神の脱植民地化につながる。

前川　注意する必要があるのは、歴史総合も、歴史修正主義というか、一国主義的な人たちが日本史をやれって騒いだからできたことです。その人たちから見ると、いってみれば、「坂の上の雲」みたいな歴史観です。一国主義の枠から出ないんだけど、当時は世界全体が、植民地帝国が競いあっている世の中だった。そこで日本という国はアジアの諸民族に先駆けて独立を成しとげ、一大帝国を築きあげた優れた民族なんだ。そして、アジア太平洋の戦いは、あれはアジア諸民族の解放のための戦いであったという。そういう歴史観をもっている人たちは、歴史総合という教科で「坂の上の雲」のような歴史を教えることを期待していることです。

歴史総合という教科ができたからOKではない。世界史とのかかわりのなかで日本史を学ぶといっても、日本は白人を追い出してアジアの盟主になろうとしたんだという、それを正当化するような歴史観を植えつけようとする、そういうふうに使われてしまう危険性もある。

ただ、私は高校の先生はそう簡単には権力に従わないと思っています。私は文部科学省でいろんな学校の先生とおつきあいしましたが、一番いうことを聞かないのはもちろん大学の先生です。いうなれば、学校の段階が下がれば下がるほど、権力に素直になって、従順になる傾向がある。昔から師範型教師というい方があったけれど、戦前においても、小学校の先生と旧制の中学校の先生と比べたら、師範学校で養成された小学校の先生は、お上のいうことを全部そのとおりにやる。中学校になるとそうでもなくなって、旧制高校になると自由な学問をやる、そういうちがいがありました。師範学校は国家主義的な観念を教師自身に植えつけて、それをまた子どもたちに植えつけさせる、そういう仕組みとして機能してたわけです。

ですから、師範型教師は問題があるというので、戦後は師範学校という小学校教師だけを養成する学校は全部廃止して、全部大学に昇格させて、大学で教員を養成することになった。大学の自由な学問のなかで教師を養成するというふうに変えたわけです。それでも未だに小学校の先生は、いい意味でも悪い意味でも、どっちかというと悪い意味で素直で、従順です。だから、文部科学省が右っていったら右ってやるし、左っていったら左とはあまりいわないか……。ですから、私は小学校の道徳なんかは危ないなーとずっと思っています。

高校の先生はそう簡単には権力に従わないところがあるから、この歴史総合を高等学校の歴史の教師がどう活用していくか、うまく使っていくことを期待はしています。日本は強い国で、アジアの盟主として欧米植民地帝国からアジア諸民族を解放した正義の戦いをやったというようなことを教えさせようとしても、そう簡単には高校の先生はなびかないと思う。ただ、そういうのが少しずつ学校の現場にはいってきているとは思う。

松島　この師範学校型教師で思いつくのは、琉球人の遺骨を盗んだ金関丈夫・京都帝国大学助教授を百按司墓に案内したのは、島袋源一郎という沖縄師範学校を出た名護小学校の校長でした。彼の本を読んでみると、皇国史観でばっちり固められています。琉球の人びとは、戦前戦中に皇民化教育を体系的、組織的に叩きこまれました。戦前に日本政府は沖縄県に大学をつくらず、師範学校を県内の最高学府として、日琉同祖論を軸にした皇民化教育を実践する教員の養成に重点を置きました。

自由な発想で、子どもたちを教えていく、琉球を中心として、アジアとの関係のなかで歴史はどうだったか、どういった被害を受けてきたのか、そういったことをちゃんと見るような歴史観が重要だと思っています。沖縄国際大学は2021年度から、入試の選択科目の一つに琉球・沖縄史を入れる予定です。これは大学に任されているのでしょうか。

前川　大学の入学者選抜は大学ごとにやればいいんです。大学の自治に属することです。

松島　なるほど。自分たちで歴史科目を今から作っていって、独立に備えていくのは非常に重要だと思います。

佐藤　私は以前、地方国立大学の教員養成系学部に在籍していました。また国立大学法人の理事・副学長として教育担当、大学の改革、教育カリキュラムの改革とかいうのに携わってきた経験がありま す。富山大学には附属学校園があって、体系化された教育カリキュラムがしっかりあります。地元でも優秀有能な生徒を育ててきていますが、そのなかでも大きな変化がありユネスコスクールに登録したり、また90年代後半からは、地元学、地元の歴史をもう一回見直していこうというカリキュラムが登場しました。大学の講義や公開講座でも地元学を積極的に動員していこうとしました。いまでは大学図書館に、アーカイブスを作っていこうというふうに発展しています。

ただ、富山の場合、地元の人が語りたがらないという負の歴史も多い。たとえば、イタイイタイ病と戦争との関係、鉱山開発史からはどうして公害が発生したのか、どういう経緯で起こって、それが今どうなっているかというようなことです。あるいは米騒動とは何かとか、また富山空襲の記憶や徴用工問題、満蒙開拓団はどうなっているかとか、あまり地元の人が語りたがらない問題もあります。保守的な地域でもありますから、隠したいという気持ちも働くのでしょう。米騒動というのは女が暴れたろくでもないものなので、そんなのを歴史で教えるとは何事かという右よりの人たちがいることだから、米騒動をカリキュラムに入れたり、歴史を掘り起こしたりするような講演はあまり人気がない。

それでもあきらめずにつづけていくなかで、魚津の現場を歩き、米騒動の現場を見てまわる。ようやく実を結びはじめて、昨年「米騒動１００年」目になって、映画を作ろうというところまできた。今度は米騒動をダークツーリズムの資源にしていこうじゃないかと、そういう動きが出てきました。

これは決して負の出来事ではない、ここからデモクラシーがはじまって、デモクラシーとは何かを考える一つのいい教材を提供していく。

あるいは、空襲にしても、なぜ富山が空襲の対象になってくるのか。大企業があって、補償問題で問題になっているような企業があって、戦争に加担している地元企業があった。

三井金属によるイタイイタイ病でも、富山大学は研究の専門機関としての役割も問われました。また当時大きな問題になっていたイタイイタイ病の存在を富山医薬科大学ははじめ認めていなかった。むしろ、民間のお医者さんがこれは「公害病」だと認定していったという歴史があります。知の拠点であるべき大学が反省すべきことの一つです。県立イタイイタイ病資料館に行けばわかりますが、これは公害ではないという論文が数多く発表され、大学教員が打ち消していくということが行なわれていた。そういう歴史をきちんと語り残して、大学がその地元で果たす役割を自覚しないといけない。たんに埋め立てによって大地がよみがえり、美しい水をとりもどしたと自賛するのではなく、経済成長主義、企業本位の地域だという問題にとどめてはならないテーマです。沖縄の場合はとくに鮮明に映し出すことができるだろうと思います。

ニューカレドニア住民投票を解読する

佐藤　21世紀にはいって世界が大きく変わっていくというなかで、非常に顕著な変容がみられます。冷戦が終わった1989年にはベルリンの壁が崩壊して自由になった、国境を超えてトランスナショナルな関係が広がっていくという議論がありましたが、21世紀の今日では冷戦期よりも世界中に壁ができている。壁の建設距離が飛躍的に増大して、いろんなところに防壁(ファイアウォール)や分離の壁が作りだされてきている。いわばグローバル化した経済は地球規模になっているけれども、国は線引きを強化することによって固まっていこうとする、非常に矛盾した動きが出てきているというのが一つの特徴ではないでしょうか。

分離壁が作られれば作られるほど、分離主義的な動きが強まるのは必然的なことで、一方にはそれを煽るポピュリズムがあり、ナショナリスティックな形で大衆を呼びこんでいく政治が横行していく。さらには、これまでの枠組みに留まらないで、小さな共同体へ移行していこうという動きとして、EUからイギリスが離脱する。イギリスがEUから離れるといってもイギリスは一枚岩ではありません。スコットランドがあり、アイルランドがあり、イングランドがある。そのなかでスコットランドの独立という問題が再燃してくることになるでしょう。こうした動きがヨーロッパでは飛び火して、カタルーニャの独立運動問題も動き出す。こうして国家が小さな単位に分離して秩序を揺さぶるようになってきている。

しかも、それはヨーロッパだけに留まらず、戦後処理が残した課題として浮かび上がってきています。太平洋にはニューカレドニアというフランス領植民地が独立を獲得しようという運動を展開してきて、一昨年の11月2日に国民投票を実施しました。私はこのニューカレドニア問題に関心をもっていたこともあって、この独立投票を実際に見てみようと現地にはいりました。これはまだ活字化されていないので一つの印象記にすぎないかもしれないけれども、日本のメディアのみならず海外のメディアもあまり伝えてはないので、いくつかご紹介したいと思います。

沖縄「独立」を論じる前提として、私がニューカレドニアを映し鏡のようにするのは植民地主義責任と記憶の忘却という日仏共通の歴史認識があるからです。植民地支配の歴史を問い直すことなくして、「沖縄」の「独立」を語ることはできません。フランスはヨーロッパ本土から4000キロも離れた太平洋、大西洋、インド洋に数多くの海外領土をもち、経済資源の供給地として、核実験をはじめとする軍事基地を配置し、フランコフォニーという共通言語圏を形成し、「植民地帝国」のもと住民自治に制約を加えつづけてきた。近代国家形成と国民意識の醸成のために、先住者や少数者を周縁に追いやる、その残酷さの度合いへの認識が乏しいことです。ここからうかがい知りえるのは、「文明国」や「国民化」の名の下に植民地が再生産され、日本ではアイヌ、沖縄を植民地化した。この周縁化する歴史がやがて国内の周辺にとどまらずアジアに拡大し、「帝国化」への道をフランスと同様に歩んできたわけです。近代国家に共通するこうした要素をもつからこそ植民地支配の歴史、その現状を有益な比較の枠組みで考えるためにニューカレドニアを参照軸におきたい。2018年ニューカレドニアでは自決権を行使するべく、住民投票が行なわれました。

ニューカレドニアの先住民カナクの人びとが長い闘争の末に住民投票という成果を勝ちとりました。しかし、投票前の予測としては、70対30ぐらいの割合で反対派が多いんじゃないかというものであった。当然のことながらフランス政府が必死になってニューカレドニアにてこ入れをした結果、そのような選挙予測があったのだろうと思います。

ニューカレドニアはフランスの海外領土であることから、私たちの常識的な発想からするとパリからニューカレドニア・ヌメアという首都に直行便が出ているだろうとお思いになる方が圧倒的に多いのですが、実は直行便はなくて、東京、大阪経由でニューカレドニアにいくしかない。あるいは、遠回りですが、シンガポールまで出て、シンガポールからヌメアにはいるという二つの航空路線しかないわけです。マクロン大統領やその側近たちは、かならず東京経由でニューカレドニアにはいるものだから、ときどき、何の用で日本に来ているのかというようなことがありました。そのおかげで安倍首相の動静をみると、フランスの大統領との面会があるのは、航空路の関係で多いことでわかってくる。

そこで、マクロン大統領たちは、独立しなければ経済的支援をするとか、独立したら中国に乗っとられてしまうぞ、あるいは中国人が大量にやってきて、地元の経済が破壊されてしまうぞと「中国脅威論」をあおるキャンペーンをくり返していました。そのために独立を求める人たちの声が届かないんじゃなかろうかという事前予測がありました。しかしながら、結論を先にいえばそれを覆すかのように、ニューカレドニアが独立することに反対が60パーセントに至らない56パーセント、逆に独立を求めるが43・6パーセントでした。非常に拮抗した結果であったことに着目をしてみる必要がある。

国連脱植民地化特別委員会の「非自治地域」リストに登録しているニューカレドニアですから、当然国際社会は独立自治権、民族自決権を認めるべきだとして、これを実施するための選挙です。最終的には住んでいる人たちがその意思を表明しなさいというのがこの選挙の主旨であるわけです。しかし、国連決議、あるいは国連組織のこの定めとは裏腹に、フランス政府はできるだけ独立を阻止したいという外交行動、国家行動をとってきている。先ほどのキャンペーンのほかにも、先住民族の投票権を制限していくようなことも画策されました。カナク人全員に投票権があるわけではなくて、投票登録をした者から選挙権を与えて、カナク人全体が公平民主的に選挙権、参政権を行使して行なわれた選挙ではないといっています。そうであるにもかかわらず、56対44という結果は非常に大きな意味をもつだろう思います。この結果は逆にフランスにとっては大変衝撃的な結果ではなかろうか。先住民族カナク人にとっては、非常に大きな勝利だったのではないか。むしろ独立の可能性が出てきたというとらえ方ができるような選挙結果ではないのか。しかし、この結果のゆくえについては、ほとんど報じられていません。

前川 日本で知っている人は何人いるのでしょうか。ほとんど報じられていませんね。

佐藤 外務省に問い合わせても、防衛省に行ってくれとかいわれたりします。現地では、選挙後にカナク人たちの選挙事務所に顔を出すと、勝利に酔っていて、喜んでいるカナク人たちの顔がいまでも思い浮かぶほど昂揚していたという印象をもって帰ってきました。この昂揚がつづけば、議会でもう一度ヌメア協定に基づいて、2020年に住民投票を行なう。それがだめでもまだ次回の権利がある。現場を見ながら考えたのは、当然のことながら、トリコロール（三色旗）はいつまではためくのか？　ニューカレドニアが独立をしようとして長い闘争や議論を重ねてここまでたどり着いても、すぐに、はい明日から独立ですよというふうにはならない、漸進的に進んでいくしかない、情勢をつくりだして好転させる、あるいは共有していくようなプロセスを経ながらだんだんとアイデンティティを確立して、独立への道が開けてくるのかなと思えるわけです。

当然フランス側も巻き返しを画策しているでしょう。ニューカレドニアはニッケルという大きな鉱物資源があるが故に植民地として、経済的権益を握っていました。当然、手放したくないわけだし、できるだけフランス共和国のなかの枠組みを維持しながらニューカレドニアをとりこんでいきたい。この選挙結果から、２０２０年の2回目の選挙があるということを前提に、フランス政府はいろいろ手を替え、品を替えの融和策を展開しています。

私は4月から長期にわたってフランスに滞在していました。そこで気づいたことです。フランスの国営テレビ局、フランス・オートゥル・メール（Outre-Mer）というチャンネルがあって、海外領土県で今日何が起きているのかを放送するテレビ番組があります。そこでは毎日のように、アフリカ、コモロ、マダガスカルにはじまり、カリブのマルティニクやニューカレドニアで何があったかを放映している。これを見ているととても面白いのは、毎日のようにニューカレドニアから情報がはいってくる。

そこで、フランス人と現地のカナクとのあいだにできたカルドッシュという2世3世の人たちが中心となって、「アンサンブル」といって、いわば「和解／仲よくやろうよ」、というプロジェクトをやっているというニュースを見ると、入植した白人たちが軸となって独立反対でフランスに留まろうよというプログラムを展開していることもわかってきます。できるだけ投票を回避したいという意図がよく現れています。

さらに住民投票の地域別の投票結果を見ていくと、さらに特徴的なことがわかります。深刻なことは、植民地の形態が維持されていることが明白に現れたことです。抵抗したカナク先住民族の多くが住む、一番反フランスの強い北部ウベアという島（天国に一番近い島といわれた島です）では、圧倒的に独立が優勢です。ここでは90%近くが独立賛成でした。それから、本島は東西にはっきりわれて、先住民族が住んでいる所は独立賛成派、白人が入植している所は反対派というふうに、完全に植民地統治の形態が投票行動に表れた。フランスが行なってきた同化政策が効果をあげていないことが如実にわかる。こういう選挙分析は日本では見たことがありません。フランスにとって致命的なことなんじゃなかろうか。「融和」や「同化」がうまくいかなかったことの証明です。うまくいっていないなかで融和策を打ち出しても、フランス政府が考えるほどうまく誘導することは、たかだか2年では無理だろうというのが、今私が思っているところです。

そうすると、フランス領ポリネシア（ここにもフランス植民地が存在している）も黙ってはいないということになってくるでしょう。太平洋におけるフランス領ニューカレドニア、ポリネシア、タヒチ、このつながりに連鎖していくかもしれないという危機感を見ることができる。トリコロールはいつまで太平洋上にはためきつづけるのか、という事態です。

加えていうと、非常に大きなファクターとなっているのが中国の「一帯一路」です。中国がアジア太平洋のなかで覇権を握ろうとしていることに加担してはならないという国際世論を動員することで独立という問題を回避したいということだけではたして問題が解決するのだろうか。

前川　台湾との関係もあるのでしょうか。

佐藤　松島さんは現地におられたからわかると思いますが、最近もソロモン諸島とキリバスが台湾との国交を断って、中国と国交を結びました。まあ台湾は一生懸命お金を出して、援助を行なって太平洋の島々の票で国連復帰を目指そうとしてきましたが、アフリカでも覆され、南太平洋でも覆されている。そういう意味では中国の影響力というのは、この地域では大きな脅威として語られるという傾向が強い。たぶん先ほどあったように、沖縄では居酒屋談義ではないけれども、こういう独立論をやってると中国にとられるぞという議論に直結するような、酒飲み話が南太平洋では一つの大きな変動要因として、政治的争点として導き出されるということがあります。

日本とニューカレドニアの問題というのは沖縄と無関係ではない。日本では日本・太平洋諸島フォーラム首脳会議（太平洋・島サミット）というのを政府挙げて3年に1回開催していて、アフリカ開発会議と同じように先進国のなかでも率先して地域対話を促進させようとしています。太平洋・島サミットにおいては、このニューカレドニアは非常に特殊な位置づけで、独立国でもない現状にあっては、オブザーバーとしてしか参加できないわけですけれども、当然、島サミットに出てくる側からすれば、オブザーバーとしてではなくて一つのアクターとして会議に出てきて、日本からの援助、支援というのを求めるという動きを要求するのは必然的な流れです。同じような事例として、アフリカ開発会議にモロッコが呼ばれますが、西サハラ代表団はいれないということがありました。こんなことで当時の河野外務大臣といろいろやりとりがありました。

「独立」というコードを再構築する

佐藤　第2次世界大戦後、「国際社会」は民族集団に独立の権利を与えることを宣しました。冷戦さらには冷戦後の国際関係の基調は、この主体としての「民族」と「地域」という問題を抱えこみながら、自決、分離、内的自治をめぐって激しい独立運動がくり広げられました。そのたびに大国が力まかせに介入してきた歴史があります。そして、現在もポストコロニアリズムが継続されているというように、経済格差や文化的差異、差別された先住者や少数者に向けられた暴力の内旋が横溢するなかで「正義」の実現を求める声が各地であがっています。日本にあっては、アジア太平洋諸民族に対する加害意識を欠落させているからこそ、より一層「独立」への渇望が生まれる。「一つの国家に一つの国民」「国民を備えた国家」観が内的に存在する異質な人びとを統合することの維持不可能性、人権弾圧などが顕在化している。それゆえに、自決行為としての住民投票の暴力なき「救済的分離」が自決権の原点にあり、民族集団間の民主的プロセスの確保が喫緊の課題となります。

植民地独立は、自決権の行使にとどまらず住民の意思決定が大きな要素になっています。したがって、沖縄「独立」というプロジェクトは、安易にヨーロッパ、とくにスコットランド、カタルーニャ、バルト海のオーランド島にそのモデルを求めるのではなく、むしろ日本のアジア太平洋諸民族に対する加害意識を根底に据えながら、パプアニューギニア・ブーゲンビル独立に向けた住民投票、東チモール、ネイティブハワイアンによる独立自治国などを比較考証すべきでしょう。そればかりか、このアジア太平洋諸民族の自決の意思はそれこそ香港、台湾の「民衆蜂起」やロヒンギャ、ウイグル、内蒙古をはじめとして弾圧されている少数民族の声に耳をかたむけ、寄りそうことになる。さらには、開発優先策をとるアジア諸国にとって顕著なのは、軍人支配と独裁政権の横溢、権威主義体制による弾圧や抑圧、差別や格差、これらはみな戦後日本の対アジア政策の延長にあり、その先端に奄美・沖縄がおかれてきた。そうであればこそ、沖縄がトランスパシフィック（環太平洋）における平和の要石にありうるという社会構想が希求されているように思えます。これはまた、グローバル化した世界におけるひとつの応答となるモデルケースとして考えるべきものと思います。

琉球には過去に深い痛みの歴史があって、その歴史から常に独立論が議論されている。今回の議論というのをこの現在という時代のなかで独立論が果たしている意味、位置づけというのをちゃんと押さえておくべきだというのが一つの私の提案です。そういう意味で、歴史を理解して、そのなかで独立論がどういう系譜にあるのかというのは非常に大事な位置づけだろうと思います。思想として、ユートピアとして語られるというだけではなくて、当然この沖縄の現実のなかから出てくる実践の問題として琉球独立をどういうふうに実現していくのか。

ところが、まあそんなのは無理な話だということになって議論が終わってしまう傾向がある。経済的基盤もない、国際的にどうするのか、安全保障問題をどうするのかとか……。国民国家化していくことが沖縄の独立なのか、つまり琉球ナショナリズムを主張すれば独立が達成するのか、という形で独立論が実践論にうまくつながらないから、いつも尻切れトンボになって消えていってまた新しい独立論が出てくる。そういうハードルに位置づけられてしまうという危険性があって、それを回避するためには私たちはやっぱり21世紀に相応しい沖縄の独立はどういう形があるべきなのかを考えてみる必要がある。

極端ないい方をすると、琉球人は（我々もそうかもしれないけれども）、琉球人が自らの独立、21世紀の独立をどうやって発明するのか、これが一つの大きな課題であって、それは必ずしも近代社会のシステムのなかで前提とされるような主権国家が独立だという固定観念だけにとらわれない「独立論」

というのが発明されていくことが沖縄の場合あってもいいのではなかろうか。それはこれまでにない新しい独立論になるかもしれない。それはどういう意味なのか。やはり東アジアのなかの琉球、先ほど教育の場面で前川さんがご指摘になったように、沖縄を中心に見た世界、あるいは沖縄を中心としたアジア、沖縄を中心とした日本、こういう視点のなかで琉球民族の自立というのがどういう描かれ方になるのか、それはかならずしも行き着く先が、国連に加盟したり、琉球に国連機関をもってくれればいいというような常套句のような夢物語の話をしてもこれはあまり建設的ではないのであって、新しい発想・方法で独立というのを考えるのは実践論として大事なことだろうと思っている。

そのきっかけは随所にあるのではないか。先ほどの話は精神の脱植民地化の一つのプロセスにつながっていくでしょう。ちっちゃな試みかもしれないけれども、教育特区、教育課題の特例校によるこうした独自の地道な動きがアイデンティティを構築していくうえでの大きな突破口になっていく。こういう積み重ねというのが非常に大事なことです。それはいかに自分が世界とつながりうるかという教育であり、琉球人のアイデンティティの構築に連携していく教育です。

数年前まで、いわゆる沖縄独立の機運が非常に高まったのは、道州制論議です。沖縄に一つの自治権を与えていく、こういう動きがあり、道州制のなかで自治権を拡大して、自己決定権の枠が広がることが沖縄の独立につながっていくという期待があったし、機運があった。道州制で動いたなかから実践として琉球独立論というのが活気をもった時期があったけれども、現内閣ではこの道州制というのはいつのまにか消えて、これはどうしてなのか。特区とか地方活性化とか、こういうのは昔の道州制論とつながる部分があるのではなかろうかと思いますが、こういう地方、地域に主権を与えていくというなかから独立を模索するというのも実践論としては大事かもしれない。こういう議論もまだつくされていないだろう、こういうことも話題としてとり上げてみる必要があるだろうと、沖縄の問題は必ずしも沖縄に留まらないで、先ほどいったようなニューカレドニアというところからも変革の動きは出てきてるという視野のなかで琉球独立論を考える必要があるというのが私の問題提起です。

松島　ニューカレドニアの独立投票で、予想に反して賛成派が多かった理由はなにか。ニッケルは世界第三位の埋蔵量で、フランス政府もこれは手放したくないということで、独立を阻止しようとしてきました。しかし、1998年のヌメア合意後、島の先住民族であるカナク人の企業がニッケル、他の鉱物資源の開発、観光業などでも経済的な自己決定権を行使するようになってきたという傾向がみられます。独立によって、さら経済的な自立を目指そうという動きが独立運動のなかにあるのでしょうか。

佐藤　琉球で考えるほどニューカレドニア、カナク人たちは、実利的なことを念頭に置いて独立を語っているとは思えない。客観的に安全保障だ、経済だというようなことを前提にして独立を語ったらカナクの先住民族にとって、なんの独自性をもちえない。経済は輸出する鉱物資源の収入に頼らざるをえないだろうし、観光で成り立っていくという構図は変えることはできないだろうし、移民ではいってきた中国人やベトナム人といったアジア人の経済活動に、首都が支えられてやっていくという構図は変わることはないだろう。そういう面でニューカレドニアの独立を語っても、たぶん希望というのは出てこないだろうと思います。けれども、なぜ独立したいかというと、これまでの長いフランスの植民地支配に対する痛みがあり、ニューカレドニアにとって耐えがたいのは、人間動物園という形でパリ博覧会で自分たちが見世物にされたことでしょう。いいかえれば、自然を人間化、人種化したことです。

松島　そうですか、人間動物園……。

佐藤　自分たちは「人喰い人種」でもないし、「見世物」でもない。こういうことに対する痛み、さらには、ウベアという所にいるカナク人が最初に語るのは「カナクの戦い」というのがあって、われわれはフランスと戦ったという。この戦いがあったからこそわれわれは自分たちの土地を守らなければいけないという信念が根づいている。故にそれを共有しようというカナク人たちが、この島々にはいて、ここはフランス人の島ではないという、こういう思いが行動を導いているということのほうが大きい。かならずしも独立後にこんな地図を描いて、おいしそうな未来があるよという、そういう語られ方というのはあまり……。もちろん独立派のなかにはそういうプランニングをしてパンフレットを配ったりしてる人たちもいるけれども、それはあまり大きな動員の要因にはなっていないだろうと思います。だから、逆にいえば、ここからフランス人が出て行けというようなことを、カナク人たちは思ってはいない。松島さんがいっているように、自己決定権です。自分たちで自分たちのことを決める権利をとりもどしたいという、ここに一つの大きな連帯、希望をもっているのではなかろうか。

前川　ニューカレドニアの人口や大学教育はどうなっているのでしょうか。

佐藤　人口は２０１８年現在、28万人で、フランス海外領土として特別な地方行政区画の地位を与えられています。１９９８年にフランスとのあいだで締結されたヌメア協定によって、不可逆的な権限移譲プロセスを約し、ニューカレドニア市民権の付与、アイデンティティの公的シンボルの制定、外交、国防、司法、通貨以外の権限を全面的に移譲しました。その実現に向けた独立の是非を問う第1回目の住民投票が2018年11月4日に実施されました。そして、2019年5月12日議会選挙に加えて、2020年と2022年にも住民投票を実施することが定められています。

ニューカレドニア大学は1999年、フレンチポリネシア大学から分離されて、公立のニューカレドニア大学（UNC）が設立され、4学部2大学院研究科をもっています、約3000人の学生がいて、本部は首都のヌメアにあります。

前川　フランス本国では大学などの高等教育があって、裾野に中学・小学があり、中央集権的に全国を学区に分けています。ニューカレドニアでも大学がその下の段階の学校も管理しているんでしょうか。

佐藤　それはフランス本国ではなく、ニューカレドニアの行政庁がフランス政府の代行で管理しています。いまはニューカレドニアも学歴社会で、地元で優秀な子はみんなパリに行きます。ニューカレドニア大学は大学という名前ですが、実態はカレッジです。日常会話のフランス語ではなくて、少し質の高いフランス語が学べて、いい職に就けるというところでしょう。

前川　カナクの若者もかなりそこで学んでいるわけですね。

佐藤　学んでいますが、かならずしも大学まで行けるわけではありません。教育格差が激しくてお金がかかるものだから、カナク人の大学進学率はとても低いです。

前川　独立の是非を問う投票について、まず登録が必要という仕組みだったんですね。

佐藤　そうです。

前川　そうすると、登録をしようとする人は一定の学歴のある人ですね。

佐藤　そうでしょう。

前川　その背景には、登録をしようという考えまでまだおよばない知識レベルの人たちがかなりいると考えていい。

そうすると、教育水準が上がっていくと独立の機運がさらに高まってくると思いますが。

松島　グアムもニューカレドニアと同じく、国連の脱植民地化特別委員会の「非自治地域リスト」に登録されています。グアムでも脱植民地化を実現するための国際法に基づいた住民投票を準備してきました。グアムの先住民族はチャモロ人です。将来の政治的地位を決めることができる有権者は、１９５０年以前にグアムで生まれた人、その子孫となっています。それは実質的にはチャモロ人となります。チャモロ人も住民投票のための登録をしていて、いざ投票しようとしたときに、アメリカ合衆国から来たいわゆる白人の移住者が裁判に訴えて、これは連邦憲法の法の下の平等に反していると訴えました。それが認められて、現在、この住民投票が止まっている状態です。ところが、ニューカレドニアの場合は、そういった移住者が、たとえばフランス共和国憲法の規定に反しているとして住民投票の無効を訴えるということは聞いたことがありません。ヌメア協定でフランス政府も投票を認めているので今回実施できました。グアムもニューカレドニアも、国際法の下において植民地ですが、その脱植民地化への対応について、フランス政府と米政府では大きな違いがあります。１８９８年にアメリカはグアムを自らの植民地にしましたが、現在にいたるまで、その政治的地位を「属領」という自治権がほとんどない状態におしとどめています。フランス政府がニューカレドニアに対して行なったような分権化を、アメリカの政府や議会はグアムに対して行なおうとしません。かえって、琉球からグアムへの米海兵隊約４０００人を移駐するために軍事基地の拡張工事を行なっており、完成後は、グアム全体面積の半分を軍事基地が占めるまでになる予定です。

佐藤　ですから今いわれたように、選挙人登録で格差をつけていくというか、厳しい条件をつけていって投票権を与えるか与えないかを決めました。

松島　カナク人だけに厳しい条件をつけたんですね。

佐藤　そうです。カナク人としてはもう、血統が明確であるわけだから、ここに単なる観光客ではなくて、ちゃんと公職に就いている、収入がある、何代続いている、こういうのであれば投票権はあるわけだけど、定職がない、定職もなく学歴もない、どこの者かわからないということなら、差別して、投票権を与えない。とくにカナクのなかでも女性の選挙権の付与というのは少なくされました。南太平洋全般に共通していることですが、この地域は母系制社会だから、女性に権利を与えると女性の権限が強いから、女性の一言でその家系は固まってしまいます。政治は二重構造になっている。表舞台は男たちが仕切るんだけども、裏はみんな女性が仕切ってる。女性たちが集まって、「当然独立ね」みたいなことをいったらその一族は全員、投票にいって独立賛成に票をいれます。非常に親密社会なんです。

前川　ビッグマミーみたいのがいるわけですね。

佐藤　そうです。

前川　お婆ちゃんがいて、孫やひ孫に影響をおよぼしてる。

佐藤　そうそう。

前川　なるほど。

佐藤　だから、そこを締めつけておこうとする。男は利益で動くことが多いから、選挙でこういう票を投じれば、こういう利益がお前たちにはくるんだよというふうにいっておけば、説得はしやすい。そこで選挙登録にいろいろな制限をつけていく。非常に差別的な選挙制度です。どうやって制限しているのか、カナク人にはどうなってるかよくわからない。登録に行ったら駄目だといわれたといって帰ってくるだけで、どういう基準で駄目なのかはわからないという。

前川　それはおかしいですね。本当の意味での住民投票になってない。

松島　それでも予想外に賛成が多かった。

佐藤　それでも、賛成がここまで多かったのは大変なことです。これを過小評価しちゃいけない。

前川　ニューカレドニアにはフランスの軍事基地はありますか。

佐藤　海軍基地があって、そこに今日本の自衛隊がくっついてはいっています。

前川　核は配備されていますか。

佐藤　核は配備されていません。ただ、フランスはフランス領ポリネシアのムルロアで冷戦後まで核実験をしていました。核実験の被害者であるとか、フランスの原子力関係の被害があります。ニューカレドニアにいる海軍も実験に加わっていたようですが、それは表だっては見えてこないところがあります。とくに、これは国際政治一般にかかわることですけれども、今は宇宙開発競争が激しい時代になってきて、中国もどんどん月に行くようになって、フランスも今年9月にマクロン大統領が宇宙を目指すと宣言をして宇宙開発に乗りだして、軍隊をつくったり、整備をしたりするところに国家予算を振り分けるという宣言を出しました。ところが、フランス本土に宇宙基地がないから、アフリカにある植民地か、南太平洋の植民地かでロケットを上げるしかない。当然のことながらこの南太平洋の拠点は軍事的に比重が増す可能性は高いから、手放すというのも厳しいと思われます。

「植民地」の経済効果

松島　このニューカレドニアが、国連の脱植民地化特別委員会の「非自治地域リスト」に登録された背景には、太平洋諸島フォーラムという地域の島嶼国と、オーストラリア、ニュージーランドが加盟する国際機構が後押ししたことがありました。さらに、もともと植民地だった新興国の国際的組織である、非同盟諸国首脳会議もニューカレドニアの独立を応援するという、国際的な支援、連帯の動きを活用して、登録されています。実際、住民投票を行なったというのは、琉球にとっては非常に示唆的です。琉球独立論には長い歴史があります。琉球併合（1879年）前後から、「琉球救国運動」という独立運動が、清朝に亡命した琉球王国の幹部が中心になって行なわれました。太平洋戦争後、日本から法制度的に切り離された琉球において、独立を掲げる政党がいくつか誕生し、蔡璋（琉球名：喜友名嗣正）のような東アジアをまたにかけて琉球独立運動を行なった人もいました。

現在の琉球独立論は、これまでのそれと何がちがうかというと、国連とか国際法に基づいて独立を具体的に議論して、アジア太平洋の諸地域の人びとと連帯しながら琉球独立を目指していることです。先にいいましたように、２００８年以降、国連の各種委員会は、琉球、琉球人の自己決定権に関して日本政府に勧告を行なうまでになったのです。これも、これまでの琉球独立運動と大きなちがいがあるわけです。独立運動の実践を、国連や国際法と関連させながら進めていく。つまり琉球独立論は国内問題ではなくて、もう国際問題になっています。とくに２０１３年に「琉球民族独立総合研究学会」という学会ができたことは大きな意味をもっています。また3年ほど前から、「命どぅ宝！琉球の自己決定権の会」という、自己決定権という国際法上の権利を、その名称の一部にした団体も活動しています。同会は、反基地運動、遺骨返還運動等において、現在の琉球で最も先端的な活動を行う団体として知られています。私も琉球人遺骨返還請求訴訟において同会から多大な支援を得ています。

先ほど触れていただいたように、道州制論議の頃、自治権をもっと高めるべきだという機運が大きくなりました。これに先立って道州制論議のときより前の、「復帰」して10年後の１９８０年代初頭において、「沖縄県」の見直しとして、「特別都道府県構想」という、沖縄県は他の都道府県とはちがう特別な県にしようと、宮本憲一さんが提案しました。「特別都道府県構想」「道州制」とも、琉球が日本の一部のままでいることが前提となります。

道州制については、かつて日本全体でも大きな議論になりました。しかし問題は、日本全体で動かないと、道州制が実現しないのです。沖縄県だけが道州になることができない。現在は、政府の中央集権的傾向が強まり、分権的な道州制の議論が行なわれなくなりました。ただ、この道州制が琉球において議論されたときに、一つのキーワードになったのが「自己決定権」であり、それは今でも生きています。これはニューカレドニアの人びとの植民地主義との闘いと共通するもの、特に宗主国の支配に対する強い怒りが存在する。今年2月の県民投票で7割の人が辺野古新基地建設に反対しているのに対して、安倍政権は琉球の民意を顧みない。「琉球における民主主義」「日本における民主主義」双方の否定である。これはまさに植民地主義だという怒りの声が出てきた。琉球の人びとの声を無視すれば無視するほど、独立したいという機運は高まっていかざるをえないというところまで来ていると思います。そのなかで、ニューカレドニアの今回の投票、また独立に向けた闘いは、琉球人に対して非常に大きな示唆を与えてくれるものだと思います。

前川　フランスがニューカレドニアを手放したくないのは鉱物資源と軍事的な意味と、あとなんかありますか。

佐藤　前川さんもフランスにお住まいになったことがおありだからお分かりだと思うんですが、フランスの植民地責任の希薄化があげられます。日米関係と同様に補償金を払わなければならないし、非常に人種差別的であることです。奴隷制への賠償問題もからみます。一番わかりやすいのはハイチです。ハイチがフランスから独立したいといったら「買いとれ」と求めた。そのためにハイチはフランスに借金して、払いつづけました。アメリカも同様ですけれども、フランスも相手が独立したければ金を払いなさいという理屈です。当然ニューカレドニアも金を払え、いくらかと、まあこういうことになって、2兆円ともいわれる補償金は払わず、いかに金を巻き上げるか、次の戦術はそうなります。

前川　なんだか、江戸時代の「身請け」みたいな話ですね。

佐藤　これは共通していえることですが、植民地をもっている帝国にとって、植民地はけっこう経済的に重荷になっています。植民地帝国はみんな財政が厳しくなる。結局、植民地をもっても、それが得にはならないということを経済学的に証明したほうがいいと思います。

前川　昔、石橋湛山が小日本主義といって、植民地を全部放棄するほうが経済的に利益があるといいました。20世紀のもう前半にそういうことをいっているのだから、今21世紀に植民地をもつことにどれだけの意味があるかを真剣に議論すべきでしょう。

第二次世界大戦で負けた側は植民地を放棄しています。日本は沖縄だけはまだ確保してるけども、ドイツもイタリアも放棄した。だけど勝った側はそのままもちつづけてきて、それがまだ残っている。それが今、順次独立しているということでしょう。そうした地域は軍事的な意味が大きいのでしょうか。

先日テレビで前統合幕僚長がおっかない話をしていました。朝鮮半島はいずれ統一する、そうすると日本の隣りに核大国がもう一つできる。北朝鮮は核を放棄しないだろうから、放棄しないまま南北朝鮮が統一するだろう。そうすると日本のとなりに、中国、ロシアに加えて、南北統一後朝鮮というもう一つの核保有国ができる。日本に向いている大陸に、三つの核保有大陸国家ができるという。日本は海洋でそれを守る。その海洋とは、太平洋のなかの日本という位置づけで、陸対海の構造をつくるといっていました。

その均衡を保つためにはやっぱり核が必要だ。核の傘が必要だが、アメリカは今のトランプみたいな考え方だと手を引くかもしれないし、在韓米軍もいなくなるのかもしれない。日本からもいなくなるかもしれない(いなくなってもかまいませんが)。だから日本も核をもつべきではないのかと、恐ろしいことを考えてる人たちがいるんだなと思いました。

そういう議論に連なって中国脅威論というのがあるだろうと思います。中国が太平洋に進出しようとしている。ニューカレドニアにも手をさしのべようとしているのでしょう。だから南西諸島といわれる琉球や奄美などに、自衛隊の基地をたくさん作っています。中国を太平洋に出さない、中国海軍を太平洋に出さないために関所を作るというイメージなのかもしれません。海で大陸国家の進出を阻止すると考えているのでしょう。

佐藤 沖縄・辺野古基地問題はそもそも米軍兵力削減構想、日米地位協定の歪みを是正する施策の代替として日本側から提案されたものです。今では、「普天間」返還と辺野古新基地建設がいつのまにかセットとして語られ、「世界一危険な基地、普天間」というフレーズが叫ばれるようになってきた。沖縄の人びとから聞こえてくる声には、普天間の危険性よりももっと深刻なのは嘉手納基地であるにもかかわらず、日米双方はそれを回避するために生みだした言説としてとらえている。加えて、尖閣諸島問題をきっかけとして島嶼防衛論が跋扈し、自衛隊配備が奄美、沖縄、先島諸島にまでおよび琉球弧の軍事基地化が急速に進められている現状がある。これら地域の人びとは、今かつての琉球弧を再生して島々の連帯を通じた環境保全と基地撤去を求め、さらに国連事務総長グテーレスの「軍縮アジェンダ」に後押しされながら、沖縄を世界軍縮の拠点に、さらには韓国・済州島、台湾と琉球弧が連帯したミクロリージョンが浮上しようとしている。島嶼防衛構想による奄美、沖縄、先島諸島への自衛隊配備は皮肉なことに地域住民に歴史の読み直しを促し、一つの生存空間を再生させているかのようにみえますね。

松島　おかしな話だと思います。宮古島、石垣島、奄美大島では現在、自衛隊のミサイル部隊の基地が建設されています。中国の艦船が侵略することを想定して、それを抑止するための部隊ではなくて、ミサイル部隊基地を建設しているのです。仮想敵国からの攻撃を誘い出すような形で、奄美・宮古・八重山諸島に自衛隊基地を日本政府は、辺野古の米軍基地と同じく、住民の反対を押しきって作っている。日本政府の狙いは、日中あるいは米中で緊張が高まり、琉球諸島において戦争状態に突入し、一定の犠牲が生じたところで、仮想敵国との停戦講和を考えているのではないか。沖縄戦と同じく、また琉球を切り捨てて、琉球で地上戦を行ない、日本本土の戦場化を避けようとしていると考えられます。

「島嶼防衛」という名目で、軍事基地が整備されていますが、実際は島嶼を防衛するのではなく、「日本本土防衛」であり、琉球諸島は切り捨てられる恐れが高い。愛国主義を強調する教科書を八重山諸島全体において採択させようとして、日本政府自らも直接介入しました。2013年、義家弘介・文科省政務官が竹富町教育委員会を訪問して、育鵬社の教科書採択を迫りました。竹富町教育委員会は抵抗しましたが、石垣市、与那国町は国の方針に従いました。自衛隊基地の建設という国策に従順な国民を増やすために、愛国主義的な教科書採択が進められたのであり、私は大変な危機感をもっています。

琉球アイデンティティの行方

前川　防衛政策と教育政策という2つの国策が結びついていることがよくわかりました。私が第2次安倍政権下でやらされた学習指導要領解説の改訂で領土や自衛隊の記述を増やし、教科書の内容に変更をもたらしたことや、八重山教科書問題で無理やり育鵬社の教科書を採択させようとしたことは、「島嶼防衛」の名で琉球諸島や奄美大島に自衛隊基地を作っていく国策と連動したものだったわけですね。先ほど佐藤さんが指摘したように、琉球がアイデンティティをもって一つの政治的な主体として20世紀型の独立国家ではないかもしれませんけど、なんらかの主体的な形で選択しようとすることは、やっぱり東アジア全体がもっと統合に向かっていくという動きと連動しているだろうと思います。宇宙人といわれた鳩山元総理大臣は東アジア共同体ということをいいました。白昼夢、夢物語みたいだといわれたけれど、ナポレオンだとかビスマルクとかの時代に、フランスとドイツがいっしょになってEUをつくるなんて誰が想像したでしょうか。私は大きなその歴史の流れから考えれば、地球は少しずつ統合に向かっていくだろうと思うし、東アジアだっていろんな体制のちがいはあるけれども、少しずつ、垣根が少しずつ下がっていって、人と人の交流ももっと頻繁になって、お互いにお互いの国で住むということがもっと起きるだろうと思います。

松島　そうですね。

前川　そうやって、つながりあって、一つにまとまっていくという方向をとるだろう。その過程に南北朝鮮の統一もあるかもしれない。逆に香港や台湾が独立するかもしれない。100年単位で考えたら、全体は統合するなかで、統合のなかの独立性みたいなものが実現していくのではないのかな。

松島　先ほどからアイデンティティという言葉が今日はよく出てきます。琉球アイデンティティといわれるものがありますが、いわゆる「純粋な琉球人」という考え方は、「人種学」的な側面があり、優生学にもつながりかねない危険性をもっています。何をもって「純粋な琉球人」を特定するのかが明確でありません。研究者（専門家）によって他律的にそれが決められるおそれがある。たとえば、今福建省がある地域から多くの人びとが15世紀初頭、17世紀初頭に琉球にやってきて、那覇の久米村に住み、「久米村人（クニンダー）」と呼ばれ、琉球国の外交、貿易活動を担った人びとがいます。その人びとは中国系琉球人といえます。また、琉球併合後の、琉球における経済的な混乱の結果、多くの琉球人が日本の国内外に移民、出稼ぎ人として島から出ていきました。それらの人たちは、移出先の人びとと結ばれ、その地の文化と琉球のそれとを融合してきました。これらの人びとは「世界のウチナーンチュ」と呼ばれ、5年に一度、琉球で「世界のウチナーンチュ大会」が開催され、世界中から琉球人がやってきます。そのように、中国系、南米系、ハワイ系、パラオ系、日本の関西系など、様々な個性を有した琉球人が生まれています。「単一の、純粋な琉球人」はいないのです。「自分は何人であるか」という自覚、つまりアイデンティティが、民族概念の規定要因ですから、様々な歴史、文化的な背景をもつ琉球人がいてもおかしくないのです。「近代国民国家のなかの民族」ではなく、国境を超えた、「21世紀型の新たな人間」としての琉球人が、新たな琉球国の構成員になるのではないでしょうか。

前川　チャンプルー型みたいな。

松島　そうです。琉球にはチャンプルー型のアイデンティティがあるので、多様性を基軸とした形で新たな国ができるのではないでしょうか。多様な国籍、たとえば日本国籍、ブラジルなど南米に住んでいる、ウチナーンチュの3世4世の国籍、それぞれの国籍をもちながら、新たに琉球国の国籍を同時にもってもいいのではないでしょうか。一つの国家が、ある人の所属を、国籍によって縛ってはいけないと考えます。琉球国という国ができた場合、既存の国籍をもちながら、琉球国に居住し、投票権をもち、納税をしていく。そういった国籍を超えた、特定の国の政府に縛られない、新たな形の「国」に琉球国がなればと思います。これまでの琉球や琉球人の歴史が、多様な歴史、文化を吸収して形成されてきたので、新たな国になる場合も、これまでの歩みを踏まえた国づくりをする。そうなると排外主義的な要因はなくなります。琉球のような「脱国民国家型の国」が増えていけば、地球上の人びとが国境を超えて交流し、「近代国民国家」や独占資本主義の企業が引き起こそうとする戦争という罠に陥ることを回避することもできるのではないでしょうか。

いろんな人との関係性のなかで琉球人というアイデンティティもできてきました。沖縄県知事の玉城デニーさんがまさにそうです。玉城さんは、伊江島の女性とアメリカ海兵隊の男性のあいだに生まれた子どもです。そのような、多様な歴史文化的背景をもった人が琉球には大勢います。そういった人が知事になったということも、琉球人の多様性を示す、一つの象徴的なことだと思います。

琉球のなかに独立に対する拒否感があるとすれば、それは琉球も「近代国民国家」になって新たに国家の暴力を、日本政府や米政府のように琉球人に対しておよぼすことに対する心配があるのではないでしょうか。その意味で琉球独立の議論で、アイデンティティの在り方についての考察は非常に重要になります。

佐藤　私は沖縄のゆたかな創発特性が生かされていると思うのですが、松島さんは川満信一さんが提案された琉球共和社会憲法草案をどのように評価されていますか。

松島　川満信一さんは、宮古島出身の沖縄タイムス社の元記者であり、詩人でもあります。「近代国民国家」を徹底的に否定した、「非国家」の独立を希求して、「琉球共和国」ではなく、「琉球共和社会」と、「国」を「社会」に変えて、独立後の憲法を構想しました。この憲法は、「非現実的」、「理想的」「詩的」といわれることもありますが、私は、先ほども指摘しましたように、多様な歴史文化の属性をもった琉球人を主体としながらもさまざまな民族と共生する、新たな「国」を作る上で大変重要な憲法試案を川満さんは提示してくださったと評価しています。川満さんは、同じく、沖縄タイムス社の元記者で詩人の新川明さんと一緒に、「反復帰論」を唱えました。この「反復帰論」は、「近代国民国家」を否定する、つまり日本という「近代国民国家」を否定する考え方です。「復帰」は、琉球が日本という「近代国民国家」の一部になる過程であり、「復帰」の思想的土台には、日琉同祖論があり、また具体的な展開として、法制度上の一体化がありました。琉球併合と同じく、日本国による琉球の再併合であるとの反発の声を受けて、「反復帰論」が唱えられました。それには、多様な歴史文化を尊重しようとする、琉球らしさが見えます。川満さんが、「琉球共和国憲法」ではなく、「琉球共和社会憲法」を提示したのは、国を超えた形の社会のあり方を目指していたからでした。「国」だけれども「国」ではないという、自己矛盾しているようですが、それは既存の近代国民国家を前提にしているから、そのように見えるのです。しかし、国境の意味が薄れた現在において、「国ではない国」「市民社会型の国」の形成は十分可能だと考えます。

もう一つ、仲宗根勇さんという方が、「琉球共和国憲法試案」をつくっています。これは近代国民国家としての琉球をイメージした憲法です。私は川満さんと仲宗根さん両方の憲法試案とも、琉球らしい憲法だと考えています。琉球国は、アメリカ、フランス、オランダと修好条約を結んだ国でもありました。明治政府が侵略しなければ、そのまま、日本のように「近代国民国家」になった可能性も否定できません。現実に存在する国であった琉球国を日本国が侵略して、現在の植民地としての琉球が生まれたのです。その意味でも、国家としての法体制を踏まえた琉球独立論も大変重要だと考えます。琉球国は、欧米諸国のように形成されたのではなく、多様性をもった人びとによる、交流の歴史のなかで培われた交易という関係性によってつくられた国です。しかし国として存在したことは事実です。この歴史的事実を踏まえて、脱植民地化という過程をへて独立を実現すべきだと思います。上の二つの憲法案は、そういった歴史・文化のうえになりたった琉球社会の独自性を重視しています。将来、独立して国民国家になるとしても、そうした琉球の独自な社会性を重んじるべきです。

それは地域の共同体を重視する姿勢にもつながります。独立後、人口の最も多い那覇市を中心にした中央集権的な政治体制にするのではなく、地域の自治、独自性を優先する体制作りを志向する。たとえば中城村の歴史を重んじて、首里・那覇の歴史を中心としない、村作りを琉球独立後は、さらに奨励する。そういった多様な歴史観をもって教育を実践できる社会の集合体として、琉球国が形成されればいいなと思います。

もう一人、平恒次さんがいます。彼は宮古島出身で、長いあいだアメリカに移住してイリノイ大学で労働経済学の教授をされており、現在、94歳でアメリカに住んでおられます。平さんは50年以上前から琉球独立を研究し、主張されてきました。その独立論も、「開かれたナショナリズム」「開かれたアイデンティティ」を特徴にしています。彼は経済学者ですから、独立後の経済的自立について研究したり、先住民族としての琉球人の先住権を国際法に基づいて考察しながら、独立を構想しています。5年前に私は、平さんとニューヨークにおいて、琉球独立について報告、意見交換したことがあります。

琉球独立論のこういった系譜は、川満さん、新川さん、仲宗根さん、平さんをはじめ、多様に展開され、その独立論が「机上の空論」ではないことを示しています。最近の琉球独立論は、これまでの独立論を踏まえて展開されています。

（2019年10月18日、明石書店）

Ⅲ　近代の学問が生んだ差別

——アイヌ・琉球の遺骨問題と国際法

上村英明×前川喜平×松島泰勝

琉球人は先住民族

松島泰勝　今から20年以上前、私が大学院の学生だったころの1996年、私は上村さんが代表をしている市民外交センターというNGOのメンバーになりました。そのときの沖縄の状況は、大田昌秀さんが知事で、代理署名訴訟という裁判を国から起こされて、同年8月に最高裁で負けました。大田さんは、沖縄県民の生命や財産を守るために在日米軍の軍用地使用の許可について代理署名はしないと拒否しました。日本政府は、それはけしからん、代理署名をしろといって訴訟を起こしたのです。琉球の基地問題は、国内法では解決がむずかしいなと思っていたところに、上村さんとの出会いがあって、国連や国際法の枠組みのなかで、琉球の平和問題を解決できないかと考えました。

上村さんの市民外交センターは長年、アイヌ民族の権利回復の運動をしていました。96年に、上村さん、私、アイヌ民族のお二人と、国連欧州本部で開催されていた人権委員会先住民作業部会の会議に参加しました。そのとき、琉球から初めて先住民族として国連の会議に参加して訴えるということで、私も琉装（琉球の服装）で活動しました。そこでわかったのは、先住民族というと、国のなかではマイノリティですが、地球という規模でみると、その存在、影響力が非常に大きいということです。同作業部会の本会議の他に、様々なワークショップが開かれており、その一つである、アメリカ軍が支配している地域で苦しんでいる先住民族の人びとの話しあいに参加しました。琉球以外にも、米軍による基地被害の犠牲になっている先住民族の存在とその「痛み」を知ることができました。互いに励ましあいながら、地球をまたいで、脱軍事基地化、脱植民地化のための運動を他の先住民族と行なうことができるのではないかと考えました。琉球人の生命や人権を守るために大田知事が日本の裁判所で訴えたにもかかわらず、最高裁で敗訴になっただけに、国連、国際社会での活動によって、琉球に対する植民地支配を打破できる可能性があるのではないかと、考えました。

1996年以降、琉球では琉球弧の先住民族会という団体ができて（現在では国連NGOになっています）、その団体が毎年のように琉球から国連のいろいろな委員会に代表を送って、先住民族として世界に訴えるという活動を20年以上つづけています。私はそのあとグアム、パラオに行くことになりましたが、活動は継続されていて、近年では翁長前知事が国連で報告するときも市民外交センターの発言の枠組みを使いました。上村さんも翁長さんにアドバイスをされるなどして、いろいろな支援をされました。

前川喜平　沖縄県は国連で発言権をもっていないけれども、NGOとしてなら発言権をもてるわけですね。

松島　そうです。参議院議員の糸数慶子さんも、人種差別撤廃委員会などの国連の会議に先住民族として参加しました。これは日本においても琉球においても初めてのことです。ですからこういった国連、国際法を使って、今の状況を解決しようという大きな動きをつくったのが、上村さんが代表を務める市民外交センターでした。その活動は、今もずっとつづいています。

市民外交センターは、アイヌ民族と琉球民族両方の権利回復の支援活動をしてきました。アイヌ民族の場合は、2008年に国会で先住民族だと認める決議につながりました。琉球民族にかんしては、国連は何度か沖縄・琉球の人びとは先住民族であることを認めるよう、日本政府に勧告を出しています。それを日本政府は絶対に認めない。もちろん、日本政府が認める、認めないにかかわらず、琉球人は先住民族です。日本政府がわれわれの属性を決めるのではなく、アイデンティティの自覚に基づいて先住民族になるのです。しかし日本政府が先住民族と認めることによって、日本国内における琉球人に対する取り扱い、その人権に対する具体的な配慮等が相当変わってくるでしょう。

なぜ認めないかというと、「先住民族の権利に関する国連宣言」のなかで、先住民族が住む地域に無理やり軍事基地をつくれないという項目があるからでしょう。近年、琉球人が先住民族であると主張し、基地建設に反対する運動が広がってきているので、日本会議系の団体等による「国連の先住民族勧告撤回運動」が活発になっています。3年ぐらい前に、国連勧告撤回を求める意見書が、豊見城市議会と石垣市議会において採択されました。今年にはいってからは、そのような運動が日本全国の地方議会に対して行なわれるようになりました。沖縄県のなかでは、本部町、宜野湾市が同様な意見書を採択しました。そういった、ある種の反動的な揺り戻しもあります。それは、先住民族として琉球人が自己決定権を行使しようとする人が増えていることを反面的に示していると考えることもできます。

「先住民族」という言葉にかんしてですけども、琉球人のなかには、今でも偏見の目やイメージをもち、自分たちは先住民族でないと考える琉球人も少なからずいます。1903年に大阪の天王寺で学術人類館事件が発生しました。これは坪井正五郎という東京帝大の教授が監修した、生きた人間を見世物にするというパビリオン、展示会です。日本が植民地支配で影響力をおよぼしている地域、植民地の人びと、アイヌ民族や台湾原住民族などを見世物にしました。そのなかに琉球人もいたわけです。そのときに琉球の新聞社である、琉球新報は、自分たちは日本の帝国臣民である、こういった見世物にされている他の人たちとはちがうという論陣をはりました。差別されている者が他の差別されている者をまた差別するということをしたわけです。

近年も、たとえば糸数慶子さんが国連の諸委員会に琉装して参加したということが新聞で伝えられると、ある自民党の沖縄県議会議員が、「ぼろぼろの服」を着てなどと、差別的な表現で糸数さん、世界の先住民族を侮辱するという事件が発生しました。

琉球人自身の先住民族に対する認識が最近少しずつ変わってきたと思わせる事件として次のような事例があります。２０１６年に沖縄島北部にある高江地区において米軍のヘリパッド基地に反対する現場で闘っていた芥川賞作家の目取真俊さんが、大阪府から来た機動隊員から、「触るな、どこつかんどるんじゃボケ、土人が」という発言を受けました。いわゆる土人発言です。また別の人に対して、大阪府警の機動隊員は「だまれ、こら、シナ人」という言葉を使っています。土人発言が大きくクローズアップされたとき、大阪府の松井一郎知事は、それは差別発言ではないといった。安倍政権も差別発言だとは認めなかった。土人発言を受けて、琉球ではどういう反応であったかというと、かつての人類館事件のような、いわゆる土人といわれる人びとと自分たちとはちがうんだというふうなものではなくて、沖縄差別を受けて、自分たちは基地を押しつけられている被植民者であるととらえる意見が多数を占めています。かつてのように他の被差別者、先住民族を琉球人が差別して、日本人による差別から回避しようとはしない。土人と呼ばれたことに対して、自分たちも他の被差別者と同じ立場に置かれており、それから共に解放される必要があるという認識に変わってきたと考えることができます。

こうした意識のもう一つの現れが、沖縄県内の米軍基地をどこに移すかという、「国外移設論」、「県外移設論」にもみられます。普天間米軍基地の移設場所として、かつては国外移設論が主流でした。それはアメリカの領土といわれているグアムやハワイに基地を移せばいいという主張です。しかし、ハワイにはカナカマオリ、グアムにもチャモロ人という先住民族がいる。両者とも植民地支配されてきた歴史をもっており、これは琉球人と同じである。ハワイやグアムに琉球の米軍基地を移すという「国外移設」は再検討すべきであるという認識が一般化しました。2011年頃から、チャモロ人が琉球に来島して、直接、植民地としてのグアムの歴史、チャモロ人による脱植民地化運動を語ったことが、そのような認識の変化につながったと思います。同年、私は、グアム政府の代表団の一人として、ニューヨークの国連本部で開催された国連脱植民地化特別委員会に参加し、グアムと琉球の脱植民地化、脱軍事基地化について報告しました。そこで出会ったグアム政府脱植民地化委員会のエドワード・アルバレス事務局長を琉球にお呼びして、様々なシンポにおいてグアムのことを話してもらいました。グアムで反基地運動、チャモロ語復興運動をしている、グアム大学の教員をしていた、マイケル・ベバクアさんもしばしば琉球に来て、同じ先住民族として話をしてくださいました。チャモロ人の歴史を聞けば聞くほど、琉球人のそれとの共通性が多いことに気づいた琉球の人びとが、グアムに米軍基地を押しつけてはいけないと考えてもおかしくありません。他方、日本国民の大部分の人は、日米安保体制、安保条約を容認し、米軍が日本の安全保障にとって重要であると考えています。であれば、米軍基地の負担分も引き受けるのが、同じ国民として当然だと考えて、「県外移設論（日本国内移設）」が多くの琉球人のあいだで共有されるようになったのです。

国連はアイヌを先住民族と認めた

前川　国連はアイヌについては、先に先住民族として認めたわけですか？

上村英明　先住民族に関するアイヌ民族の運動は、１９８６年の中曽根康弘首相の単一民族発言から

始まった観があり、琉球民族より10年ぐらい早かったのです。その運動によって、結果的に先住民族としての存在を日本政府が認めざるをえなくなりました。まちがった認識のひとつには、日本政府はアイヌ民族を先住民族と認めているが、琉球民族は認められていないという意見がありますが、かつてはアイヌ民族も認められておらず、運動の成果として認識を勝ちとったのです。

前川　アイヌ新法ができて、文部科学省のなかでは文化庁がアイヌの文化を守っていきますということになりました。だんだん進展してきたという印象です。いつから先住民族として認めるようになったのでしょうか。

上村　いわゆるアイヌ文化振興法の制定は1997年です。その後、2007年には国連総会で先住民族の権利宣言が採択されました。翌2008年は北海道洞爺湖サミットがありましたが、日本政府は外圧が加わるといろいろ動くことがあります。EUを含めて8か国の首脳が来日しましたが、ほとんどが多民族国家で、国内に先住民族を抱えています。当時、日本は国際的な定義が定まらないから、アイヌ民族を先住民族と認められるかどうかわからないというあいまいな立場でした。譲って国際的な定義が定まっていなかったとしても、その8か国のうちの多くが独自の基準で先住民族を認定し、その政策をもっている。そして、それを集大成したものが国連の権利宣言でした。その状況を世界の首脳にどう説明するのか。ようやくその恥ずかしさに気づいた国会議員たちが、悪戦苦闘しながら準備し、サミット前に国会で採択されたのが「アイヌ民族を先住民族とすることを求める決議」です。6月6日、衆参両院で採択されました。

前川　そういう国際環境というか、外からの力で政府の認識を変えることができたわけですね。私は、直接、アイヌ新法の成立にかかわっていないので、いつの間にか先住民族として認めるようになったなという思いでいました。洞爺湖サミットがきっかけだったんですね。福田康夫首相のときですよね。首相が安倍さんだったら、その国会決議はできなかったんじゃないでしょうか。今はアイヌについて先住民族だと日本政府も認めているし、そのための象徴空間・博物館をつくるといっています。この前、北海道の室蘭に講演で行きました。新千歳空港から電車に乗って行きました。その途中に白老(しらおい)の博物館をつくってるところが見えました。ああ、だいぶできたな、と思ってみていました。あれは文化庁の事業で、白老にウポポイという象徴空間をつくって、博物館をつくって、そして慰霊の施設もつくるということです。

文部科学省は施設をつくる側の当事者であると同時にアイヌにかんしては、まさに北大などがアイヌの遺骨を持ちだして、保管していたという問題では監督官庁だったわけです。これはたしかに民族に対するのと同時に人間に対す冒瀆といっていいようなことをやっていたわけです。それに対しては、大学も学術のためだからというような理由で動こうとしなかったというところがあったと思います。少なくともアイヌにかんしては先住民族だという認識はだいぶ浸透したのでしょう。

押しつけはいつも日本政府から

上村　私たちが国際法の世界に足を踏み入れたのには理由があります。日本の法学者にも、また実践者である行政官にもいえることですが、いろいろな問題が日本システムで全部解決できると思っていることです。残念ながら、一つの国のシステムだけで解決できないものがある。たとえば多数決の原理は重要でも、それが働き過ぎてしまうと、王様や貴族たちが権力者として排除されたように、マイノリティ・少数者が排除されてしまう。数の問題だけでなく、多数者の側の論理だけで排除されます。ですからEUに行くと、国の外に二つの救済システムが設けられています。ひとつはEUの人権裁判所です。仮にドイツの最高裁の判決が不満だったらEUの人権裁判所に訴えることが可能です。さらにもう一つ、そこでも不満だったら国連の人権機構にもっていくことができます。

ヨーロッパの人たちと話していて面白いなと思うのは、国の外から見られたときにどう映るかという部分のトレーニングが日本人よりも高い。日本では、国内の（民主的な）システムで問題解決はカバーされるはずだから、そこで決まったら従うのが当たり前だという話になる。それで、先ほど松島さんがいったように、当時の大田県知事が代理署名拒否をされたときに、最高裁判所で門前払いあるいは敗訴になってしまった。簡単にいえば県知事の訴えは、国が決めたことにわがままをいうなという話にされてしまったわけです。少し勉強すればわかることですが、長い歴史のなかで、琉球・沖縄に対してわがままをいってるのは常に日本政府の側です。

それから、民族問題は日本のなかでは、戦前の過剰なあるいは極端な民族主義が猛威を振るったこともあって、リベラル派のなかでもタブーのひとつでした。先住民族という考え方にたどり着いた私も、お前は右翼かといわれた時期もあります。他方、現在の沖縄社会でも、ウチナーンチュとヤマトンチュ区別があり、現実に使われています。そして、沖縄人・琉球人という民族概念などないという人も、ウチナーンチュですかヤマトンチュですかと聞くと、琉球にルーツのある人は、たとえ県外、国外にあっても自分はウチナーンチュですと答が返ってきます。ただ、この用語法は、日本社会のなかで沖縄・琉球の独自性を表す関係性でしか使えません。それをたとえば国際社会でも使える関係性の用語に翻訳すると、先住民族と支配民族の関係性が最も納得の行くものだと思います。ウチナーンチュは独自の歴史と独自の文化、それに基づく独自の主体性をもっている。その状況がヤマトンチュの武力を使った支配で否定され、同化が強制されるなかで、差別構造が生み出された。こうした概念や構造を前提に考えてみると、米軍基地の問題、リゾート開発の問題などがすっきり理解できると思います。

今、前川さんが指摘してくださったことですが、先住民族問題は植民地支配の構造から生まれてくるものです。そして、一般に先住民族といわれた人たちの存在は支配者側の記憶に残っていないのです。つまり自分たちが侵略した、抑圧した、差別したという記憶が残っていないあるいは無意識に近いというういびつな関係性が成り立ちます。イギリスの側では、ジェームズ・クックがやってきてオーストラリアで旗を立てますが、クックはアボリジニーがそこに生活していることを十分知っていました。ちゃんと記録も残っています。でも、彼らはヨーロッパ人が相手にするような政府を構成してない、あるいは社会制度をもっていないから、交渉相手にしないと決めつけます。対照的に、クックが認めるヨーロッパ諸国の政府だけが領有権競争の対象になります。それは、当時の、欧州起源の国際法の常識でした。ある意味、人類学者だけではなく、国際法学者も帝国主義あるいは植民地主義の悪行に手を貸してきたのです。

ところが、クックのいうアボリジニーには社会制度がないという認識は、ヨーロッパ視点から想定できる社会制度がないだけであって、アボリジニー自身の司法システムや政治決定の制度もきちんとしているわけです。先住民族の問題認識というのは、たとえば、ヨーロッパ社会にそうした歴史認識をもう一度見直してもらうプロセスでもあります。これは近代の見直しともいえますが、それが少しずつ国連の人権システムの中でも動き始めています。ただ、先述したように、多くは責任を取らなければならない側の動きが鈍いということができます。

松島　自分たちは、先住民族だという考え方、先住権に基づく自己決定権運動は、１９９６年頃から琉球ではじまりました。琉球の基地問題、人権問題は、日本の「国内問題」ではなく、「国際問題」だという位置づけにもつながったといえます。１８７９年までは琉球国という独立した王国という存在であった。それが日本の武力侵略によって琉球国が消滅させられて沖縄県という植民地になった。それはまさに国際問題です。植民者と被植民者という関係は、世界中にもいろいろありますが、それらと同じ問題として議論していくことで、琉球のこれからの有り様を考える必要がある。地元の琉球新報社、沖縄タイムス社は特にこの問題に関心をもっており、国際法で保障された自己決定権という視点から、琉球併合問題を位置づけ直し、米軍基地の押しつけを植民地問題として認識しながら、報道するようになりました。これまでは「琉球処分」という、侵略者である日本政府が名づけた名称によって、日本の教科書では教えられてきました。しかし、よく考えると「処分」というのは何か琉球国側に問題があって、それを明治政府が「処分する、罰を与える」という、いわば上から目線のいい方でしょう。

前川　当時の明治政府が使った言葉ですね。

上村　そうです。「処分官」という行政官も任命されています。

松島　何の検討もせずに、そういった言葉が今でも教科書で使われている。最近では琉球の政治思想の学者である、波平恒男・琉球大学名誉教授が、韓国と琉球の歴史を比較して、「琉球併合」という、歴史的実態を示す名称にいいかえて同時代の歴史を分析するようになりました。琉球の場合も、韓国併合と同じような、植民地支配を受けてきたのだという、研究も出てくるようになり、「琉球併合」という名称が琉球内では一般化しつつあります。「琉球併合」は、「ウィーン条約法条約」に反しています。

上村　1969年に採択された「ウィーン条約法条約」という国際慣習法をまとめた条約があり、国の代表者に対する強制は遡及可能で、国際慣習法の違反です。

松島　琉球併合は琉球にとって大変な問題です。自らの国が滅亡させられたのですから。国家を奪われたあと、琉球人は「日本の先住民族」になりました。先住民族は植民地支配下で生きることを余儀なくされた人びとです。併合または併呑され、皇民化政策によって同化の対象になるという、植民地支配下に置かれた人びとが、自らが先住民族であると自覚することによって先住民族になるわけです。植民地支配されて、琉球人は日本人によって差別される存在になりました。それは先ほどの学術人類館事件によって象徴的に示されていますが、戦前、本土において琉球人は、就職、婚姻、飲食や居住等において日常的に差別されていました。

こういった植民地支配を受けるなかで、琉球人と日本人との不平等な関係性が固定化されるようになりました。たとえば沖縄県庁では、県知事はじめ、日本人がその幹部を占めるようになりました。県庁や県警の幹部の了解を得て、京都帝国大学の研究者が琉球で遺族の許可もえずに遺骨をもち去って行くということも起こる。しかも、こうした不平等な状態が終わってないというのが今の琉球なのです。米軍専用基地の70％も、日本国土面積の0・6％しかない琉球に押しつけられている。これは明らかな集団的差別です。

上村　「先住民族」という言葉が出てきてから、基地問題は日米安保の問題であるとともに、人権の問題だと再定義されてきました。

歴史認識を組み直すという点では、少しアイヌ民族の話になりますが、「処分」か「併合」か、と歴史用語を変えることも重要でした。ぼくが大学生のころ、たとえば、コシャマインの乱とかシャクシャインの乱とか（コシャマイン、シャクシャインというアイヌで和人と戦った人たちがいる）、アイヌ民族の抵抗戦争には「乱」が使われていました。「乱」というのは国内で中央の権威に逆らったという意味です。しかし、近代以前、アイヌ民族の土地には和人（日本人）の統治権はおよんでいませんでした。本来これは「戦争」であり、少なくとも「戦い」と表記すべきです。現在は、やっと「コシャマインの戦い」「シャクシャインの戦い」に変化させることに成功しました。本来こうした変化は波及すべきなのですが、日本の学問は悪い意味でのたこつぼ化あるいは権威主義的で、歴史認識の見直しが横につながっていきません。近世の歴史学の成果に、当時の外交活動を表す「4つの口論」というのがあります。4つの口とは、松前口、対馬口、長崎口、薩摩口で、これらの口が江戸時代の外交・対外交易の窓あるいは門でした。松前口の向こうに蝦夷国（地）があり、長崎口の向こうに清とオランダがあり、対馬口の向こうに朝鮮があり、それから薩摩口の向こうに琉球がありました。ところが明治になると、1869年には、「蝦夷は皇国の北門」と表現されるようになります。それまでは松前藩が日本の境界でしたが、その後、北海道全域が北門だと変わってしまいます。琉球併合が終わったあと、山縣有朋が内務大臣で国内をまわりますが、1886年にはその報告書で、沖縄は日本帝国の南門だと表記しています。この段階で国境概念が拡大していることは明らかです。日本は、近代化の端緒から、拡張主義だったといえます。その理解がないと、「アイヌの乱」や「沖縄県民」の理屈があたかも正当であるかのように扱われてしまいます。

前川　今思い出したのは、蛍の光の第4番、原案は「千島のおくもおきなわもやしまのそとのまもりなり」でした。それを当時の文部省が「やしまのうちの」に改めたそうです。沖縄は日本の「外」だという本音の部分の意識とそれを日本に同化させて「内」にするという意思を示すエピソードだと思います。この蛍の光の歌詞が定められたのは「琉球処分」の2年後の1881年だそうです。その後、日清・日露の戦争で領土が広がると、「台湾のおくも、樺太も」に変わる。あの蛍の光という歌は日本の帝国主義的領土拡張を表している歌です。この領土拡張主義つまり侵略主義は、明治日本が最初からもっていたものです。明治維新の思想的源流とされる吉田松陰は、1855年に著した『幽囚録』のなかで領土拡大の構想を示しています。「蝦夷を開拓して諸侯を封建し、間に乗じて加摸察加（カムチャッカ）・隩都加（オホーツク）を奪ひ、琉球に諭し、朝覲会同すること内諸侯と比しからめ朝鮮を責めて質を納れ貢を奉じ、古の盛時の如くにし、北は満洲の地を割き、南は台湾、呂宋（ルソン）諸島を収め、進取の勢を漸示すべし」といっています。

その後の経過はほとんど松陰が主張した通りの領土拡張を実現します。まず、蝦夷と琉球からはじまって、太平洋戦争ではついに呂宋つまりフィリピンまで侵略した。侵略的拡張主義は、明治維新の初めからビルトインされていたものだといえるでしょう。

上村　戦後のリベラリズムは、昭和の軍国主義をターゲットにしてきました。本当は近代化そのものからもう一回チェックし直さないといけない。そうしないと、琉球併合も、日清戦争も、日露戦争も、そこまでは自衛（戦争）だったのだという論理に飲みこまれてしまいます。

前川　日露戦争まではよかったみたいな。司馬遼太郎のような見方ですね。

上村　司馬の「坂の上の雲」は日露戦争まではよかったという立場です。しかし、現在問題になっている教育勅語は1890年で、昭和ではありません。また、現政権もその背景にいる日本会議のような組織も、憲法改正を含めて「明治よ、もう一度」のようなキャンペーンをやっています。

前川　ラグビーのワールドカップでニュージーランドのオールブラックスはマオリのハカというのをやりますね。ニュージーランドとオーストラリアは、以前は白豪主義といって、南アフリカほどではないにしても、白人優位の基本的な考え方でした。ところが、最近のニュージーランドやオーストラリアはずいぶん変わってきました。先住民の人権を認める方向に舵を切ったような気がするし、アジア系の移民に対する開放性も高まったような気がします。

先住民族の問題は人権の問題だ。人間相互のあいだの不平等をなくしていくという。その観点でオーストラリアのアボリジニーも、ニュージーランドのマオリも、北海道のアイヌも、その民族性を核にしたアイデンティティというものをちゃんと認めていこうとか、人間としての尊厳をもういっぺん回復するとか、そういう議論が国際的な枠組みのなかで先住民の尊厳や権利を認めていくことが国際法の枠組みで認められるようになったのは、かつての植民地帝国ばっかりが構成する国際社会ではなく、植民地だった国が独立をとげて、国連に加盟して、国際社会を構成するようになったからではないでしょうか。

第二次大戦の戦勝国の多くは植民地帝国だったわけだし。負けた日本だってドイツだってもともと植民地をもっていた。第一次大戦にしても第二次大戦にしても植民地帝国、帝国主義国家同士の戦いですね。でもその結果、そのあとの時代には、旧植民地が独立したことによって国際社会の考え方が変わったのかな。グローティウスからはじまる国際法は、未開の民はそもそも国際社会の主体ではないと考えていたのでしょうから。

上村　大きく変わったのは、どちらかといえば第一次世界大戦によってです。第一次世界大戦は当初大戦争（Great War）と呼ばれていましたが、欧州の先進国同士が何年にもわたる物凄い殺し合いをするなんて当時のヨーロッパ人は考えていなかった。その近隣であった戦争は、アヘン戦争（1840

年〜）、セポイの乱（1857年〜）やボーア戦争（1880年〜、1899年〜）のように本国から遠い植民地で戦争があって、未開な人たちを文明化してやっていると思っていました。しかし、1914年6月にオーストリアの皇太子が暗殺され、ドイツが7月に開戦しても、半年、クリスマスには終わるとみんな思っていた。ところが史上初の総力戦になってしまい……。

前川 最初はセルビアをやっつければいいとだけ思っていたのに。

上村 ところが、戦火はどんどん広がり、1000万人以上が亡くなり、3000万人が負傷したといわれます。アーノルド・トインビーは、第一次世界大戦の被害が文明人を自認していた自分たちヨーロッパ人には信じられなかったと述べています。近代総力戦を経験したなかで、欧米では近代国家の主権が万能でいいのだろうかという問題提起が起きました。主権の乱用を認めないという発想が、成功かどうかは別にして国際連盟という国際機構の形成につながりました。また、戦争では何やってもいいのだという無差別戦争観の否定や戦争の違法化の発想が登場します。

さらに、もう一つ、この戦争は文字通り、アフリカ、アジアなどを巻きこんだ帝国による世界大戦でしたから、植民地解放や民族（人民）の自己決定権にも注目が集まります。ウッドロー・ウィルソン大統領の「14か条」は、韓国や中国の運動にも強い影響を与えました。こうした理念や思想の実現にはさらに多くの時間やエネルギーが必要ですが、それまでの社会秩序に変化が起こり始めたことには、大きな意味があり、その後の国際社会の流れになります。しかし、残念ながら日本は第一次世界大戦の教訓を理解しようとしなかった。

前川 まあ、火事場泥棒みたいなものですから。

民族自決権の衝撃

前川　中国に21か条の要求をしたり、ドイツの利権を手に入れたりしてうまいこと儲けたような（笑）。戦後は五大国なんていって。ただ、第一次世界大戦のあと、民族自決という考え方が国際社会で承認されるようになったわけです。これはやっぱり大きいでしょう。

上村　大きいと思います。

前川　朝鮮の三・一独立運動や中国の五・四運動が出てきたのもその影響でしょう。民族自決という考え方が浮かび上がった第一次世界大戦後、世界の意識が変わったことに日本はうまく乗れなかった、そこで衝突が起きたのでしょう。

松島　そうですね。第一次世界大戦後、ミクロネシアは日本の委任統治領になりました。あからさまに植民地にはできないけども、実質的には植民地として、様々な形で搾取をはじめます。

ミクロネシアの独立は、第二次大戦後になります。特に1960年代以降、第三世界において脱植民地化の運動が盛り上がり、植民地独立付与宣言という国際法もできて、それに基づいてアジア、アフリカなどでどんどん独立していく。当初は、人口が多く、面積が広い植民地が独立していきますが、80年代90年代ぐらいになると、面積が狭い、人口が少ない、太平洋の島嶼が独立をするようになりました。1万人でも独立ができるし、してもいいという国際的な理解がひろがりました。ツバルという国は人口が1万人にも満たない。パラオも独立したときには約1万5千人です。人口数には関係なく、島の住民が住民投票を行ない、住民の大半が独立するという意思を示せたら、独立が国際的に認められるようになりました。まさに民族自己決定権が大きな効力をもったのでした。太平洋島嶼国のように人口数が少なくても、住民投票という形で平和的に独立できるし、独立後も大きな問題が生まれているわけでもない。今でも国連には脱植民地化特別委員会というのがあり、国連が植民地の独立を促しています。現在は17の植民地が「非自治地域リスト」に登録されています。

そのなかにグアムも登録されています。私も2011年にグアム政府の一員に加えてもらって、同委員会に参加し、報告しました。またチャモロ人とともに、ニューヨークで脱植民地化のための活動、国連職員やフィリピン国連代表部等との話しあいを行ないました。太平洋では、フランスの植民地である、ニューカレドニア、仏領ポリネシアも同リストに登録されています。琉球もこういった国連の枠組みで脱植民地化を平和的に実現する選択肢もあると考えています。そのときのキーワードが自己決定権です。

前川　いま、考えていたのは、上村さんがいうように先住民族の問題が人権の問題としてとらえられてきているという問題と、自治から独立へ向かっていく民族自決とか、ネーションステートとしての主権をもつということ、これらが重なるケースもあるだろうし、重ならないケースもあると思いますが……。琉球にかんしては琉球を一つの国として日本から独立するということがイメージできますが、アイヌにはそれがイメージできない。アイヌ文化やアイヌの人たちの自立的な社会がもっと残っていれば、それがイメージできたのかもしれない。それがかなり後退してしまっている状態で、むずかしいのではないか。アイヌ国家をつくるというのはちょっとイメージしにくいですね。ただ、日本のなかにいるけども、アイヌの人たちの民族性を核にしたアイデンティティをちゃんと尊重する。過去の文化も含めて、尊厳を回復する、そういうことは大事だと思うし、イメージできるのですが。

上村　ぼくは先ほど人民の自己決定権という言葉を使いましたが、戦前から日本の国際法学者がどう訳したかというと、民族自決権です。訳してはみたが、戦前の日本の法学者は民族自決権を自らの管轄地域にどう適用するのかという議論は一切なかった。植民地は獲得するだけ。戦争が終わったら放棄によって問題解決と考えます。つまり、どう植民地経営をするかの議論はあっても、抑圧した人たちに権利を返還するプロセスはありません。前川さんの発想もかなり日本ではふつうのことなのですが（笑）、アイヌ民族─狩猟採集民族、琉球民族─琉球王国があった、という限定的なイメージからの「権利」発想だと思います。

自己決定権の行使という選択は松島さんがいうように独立の選択肢もありますが、他にもいろいろな選択肢があります。たとえば、一定の権利がしっかりした形で確保されれば、自己決定権を行使して国内に残るということもできます。その中間に、大きい政治的な枠組みとして、独自の憲法をもって連邦制をつくるという選択もあります。具体的には、さらに複雑です。グリーンランドに住むイヌイット民族は、デンマークのなかに独自な外交権をもった自治政府を組織していますし、ノルウェーのサーミ民族は、ノルウェー国会への参政権のほかに、サーミ民族の領域に対する管轄権をもつサーミ議会への参政権をもっています。これらの二つの民族とも本来は狩猟採集民族ですが、自らの政治組織をきちんと運営しています。アイヌ民族が独自の政府を組織し、憲法を制定して、外交に関してはロシア政府との交渉権や条約締結権をもつことも可能だと思います。たとえば樺太アイヌは北海道に居住する方は、樺太に自由に墓参に行きたくても、現在の日露の外交関係のなかでは簡単ではありません。千島列島もそうですが、ビザ無しでの国境横断はアイヌ民族の願いでもあります。アイヌ民族の領域は歴史上日露で不当に分断されたからです。

さらに、生活のレベルでも、現在漁労権が問題になっています。オホーツク海沿岸にある紋別に住むアイヌの漁師・畠山敏さんが2019年9月1日に鮭を川で獲りました。日本政府は、「開拓」初期の1878年以来アイヌ民族に漁業権はないと、従来アイヌが行なってきた川での鮭漁を禁止します。1986年から文化伝承を目的に、道知事の許可を得た特別採捕が認められるようになります。しかし、畠山さんは北海道でアイヌが儀式用に鮭を獲るのにどうしていちいち日本人の許可証が必要なのかと主張してきました。2019年4月に制定された「アイヌ施策推進法」に期待されたのですが、今回も知事の許可制は外れませんでした。2008年にアイヌ民族を先住民族と認める国会決議があり、先住民族の存在する北欧やカナダなどでは当たり前の権利、そして4月の新しい法律で「先住民族」が法的に認められたにもかかわらず、この権利が認められませんでした。その環境のなかで、儀式用の鮭の無許可採捕に踏みきられました。むずかしく表現しましたが、日本政府が植民地支配する前には、アイヌ民族にとって当然の権利でしたし、日本政府に剥奪されるときは一方的でしたから、アイヌ民族の誰もが認めたことではありません。畠山さんは、道にも通告していたのですが、面白い対応は道庁の役人で、「畠山さん、我々はあなたの味方です。あなたを犯罪者にしたくない」といって(笑)、味方だか敵だかわからないような発言をしていました。

日本では、いわゆる「犯罪者」になってまで運動をやれるかというとなかなかむずかしい。外国に行くと、逆で、一定の違法行為を行なって、裁判所に問題を移し、法廷闘争で法律を変える手法いくらでもやりますね。道庁はすぐ道警に告発して、漁具などを押収しました。ただ、逮捕しないまま、道警は2020年2月にこれを検察に送致しました。新しい法律ができた現在でも、アイヌが川で儀式用に鮭漁をすれば、警察・検察に告発されるというのが、日本の多文化主義政策の構造です。採捕のとき、畠山さんが言った言葉に、「アイヌが川で魚を獲るのは自己決定権だ」があります。私は、この認識は、専門家や行政がどんなに反論しても正しいと思っています。

琉球の遺骨返還問題も同じ構造だと思います。自分たちのやり方で風葬し、儀礼化していたものを、ヤマトンチュが支配者としてはいってきて、新しい法律や制度を作る。その制度を利用して、ヤマトンチュの研究者が盗掘をする。

先住民族を権利から排除する方法は実に簡単です。支配者の発想で法体系を作ればいいのです。年がら年中漁をしてないと漁師として認めないと日本政府は決めました。アイヌ民族は、秋には鮭を獲り、春は鱒を獲る。ところが、夏と冬は狩猟の季節です。だから漁師ではないといって、アイヌ民族の漁業権を完全に剥奪しました。萱野茂さんのお父さんをはじめ、川で鮭を獲ったアイヌは逮捕され、密漁者という犯罪者にされてしまいました。アシリチェプノミという儀式は100年近く途絶えていましたが、1982年に札幌の豊平川で復活します。そのときも漁業権がなく、川を遡上する鮭をみながら、市場で鮭を買ってきて、それを川で捕ったふりをして、儀式をしました。その動きが、1986年の特別採捕につながりますが、アイヌ民族の口惜しさや屈辱は、支配民族の発想では理解できないあるいは理解する必要もないものになっています。

松島　私が上村さんと出会ったころである1990年代の半ば、アイヌ民族との出会いに重なります。アイヌがすごいなと思ったのは、自分たちがかつてもっていた権利や習慣、生き方をとり戻すという意思の強さです。日本政府、北海道庁等、アイヌを縛る様々な法規制が、存在していますが、それを打破するために、国連、国際機関において世界の先住民族と連帯することで、主体的に活動していた、具体的な活動を目にしました。日本人政治家から差別発言を受けたら、それに抗議し、決して諦めない。沖縄県知事の大田さんが代理署名訴訟で国と争っていたころ、札幌地裁においてアイヌ民族が先住民族として訴えたのが、二風谷訴訟でした。

上村　二つの裁判はちょうど同じころでした。二風谷ダム訴訟の判決が1997年で、代理署名訴訟の判決は前年でしたね。

松島　そこで、裁判長がアイヌ民族を先住民族だと、日本の裁判所で初めて認めました。それより前、80年代に、中曽根康弘・総理大臣は、日本は単一民族で構成されるといい、アイヌ民族を馬鹿にするような発言をしました。また日本政府はアイヌ民族を先住民族とも少数民族とも認めていなかった。それに対して、アイヌ民族が国連で活動をして、世界的な先住民族の運動によって、日本政府のこれまでの認識を変えていきました。80年代から日本の大学研究者によって奪われた遺骨の返還を求める運動が始まります。大学側は遺骨に関する情報公開請求も無視しようとしましたが、アイヌ民族はあきらめずに、ご先祖のご遺骨をとり戻すという活動、訴訟を行い、近年、遺骨を取り返し、再埋葬を行なう事例が増えてきました。そうやって一つひとつ、自分たちの営み、民族としての誇り、先住民族としての権利を回復していくということが、アイヌにとって非常に大切なことであり、そこから琉球も学んでいこうと思いましたし、今でもそう思っています。琉球の場合はかつて国であり、それが琉球併呑によってつぶされたという歴史に対して、アイヌの場合は国っていうよりも……。

上村　狩猟社会の構造そのものを否定されました。

松島　そういったアイヌ独自の歴史や文化で育んできた、生き方を回復していこうというあり方は、琉球人の権利回復運動とも重なる部分が多いと考えます。アイヌ民族のなかには、北海道を自治区にしようという運動がありました。

上村　先ほどは、樺太アイヌの墓参の話を紹介しましたが、アイヌ民族を巡る空間設定にはいろいろな可能性があります。たとえば、知床は２００５年に世界遺産の自然遺産になりましたが、あの地域もやはりアイヌ民族の領域です。自然遺産としてエコツーリズムが盛んなところですが、鮭の遡上、エゾシカやヒグマの管理計画などにはアイヌ民族の智慧が使われています。世界遺産の認定にはユネスコに報告書を出すＮＧＯの事前調査が行なわれます。知床の場合、ＩＵＣＮというスイスに本部のあるＮＧＯから調査員が派遣されたのですがオーストラリア人で、先住民族の権利に慣れ親しんだ方でした。また、ＩＵＣＮの本部のあるスイスのグランという町まで、アイヌ民族の代表・阿部ユポさんたちと出かけました。そのＩＵＣＮがユネスコに出した報告書は面白いのです。知床半島と国後島などの北方四島には共通の生態系が認められます。そこで、アイヌ民族の視点からも越境の世界遺産、具体的には「世界遺産平和公園（World Heritage Peace Park）」にしたらどうかと提案されています。そういう発想力がない日本政府に無視されましたが。

前川　日本相手ではなく、プーチンさんと話してやればいいのに（笑）。

上村　鳥や鮭などの遡上魚が回遊し、海獣も共通の生活圏にしています。その視点からの越境世界遺産という考え方です。琉球でも、周辺地域とのあいだに島伝いのいろいろなつながりがあるでしょう。

松島　そうです。国境を越えています。

上村　国境は現在の国家を運営している政治権力者が勝手に引っぱっただけです（笑）。

前川　島と島のあいだに海があっても、その海は島をつなぐものであって分断するものではない。だからまさに知床と国後の関係も同じです。『知床旅情』でも歌われている（笑）。

アイヌ語の継承をどうするか

前川　アイヌの言葉は今でも残っているといっていいんですか。

上村　ものすごく高齢の方しかできないというイメージがあると思いますが、現在は、40代で、自ら習得し、ほぼ母語に近い形で使うことのできる話者が少なくともお二人います。それから、やや高齢の方になりますが、話すことはできないけれども、聞けばわかるという方もいます。つまり、お婆ちゃんたちが、自分が小さいときにしゃべっていたのを聞いていて、話せないけど何を話しているのか聞いてわかるという方です。言語との関係性は話せるか話せないかの二者択一ではありません。琉球語もそういういろいろなレベルの方があると思いますが。

松島　そうです。琉球諸語が話せる人、また話せないが、聞いて意味がわかる人など様々なレベルがあります。あと、琉球諸語の単語を日本語の中に取り混ぜて、独自なイントネーションで話すような、琉球諸語の形態もあります。私も琉球で生活した10代まで、このような琉球諸語で友達と会話をしていました。大学生になって東京に出た頃、琉球と同じような話し方で日本人と会話をしたので、しばしば「どこの国の留学生ですか」などと言われたのかもしれません。

上村 アイヌ語を教室で学ぶ言葉だけではなく、儀式や儀礼を含めて実際の社会で使えるようにしたいというアイヌ民族の希望もあります。1997年からアイヌ語弁論大会「イタカンロー」が開催されていますし、アイヌ民族関係の財団では、就職試験にアイヌ語の問題が入るようにもなりました。琉球でも同じ状況で、那覇市長時代から翁長さんの琉球語に対するこだわりは抜きん出ていたのでは。

松島 はい、翁長さんはものすごくこだわっていました。琉球諸語が話せたり、聞くことができるような空間や機会が、私が幼かった頃よりも格段に増えたという印象を持っています。アイヌ民族の言葉にかんして、次のようなエピソードを紹介させて下さい。2年前に、北海道の浦幌でアイヌ民族の遺骨の再埋葬儀礼が行なわれたときに、私も一緒に参加させてもらいました。そのときにアイヌ語が話せない、聞いてもわからないかもしれないという若者たちが、再埋葬式の過程、つまり、北海道大学にあるアイヌ納骨堂から遺骨箱を抱えて、バスに乗せて、浦幌の墓地にお連れし、再埋葬をしていました。そのなかで、イチャルパとかカムイノミという儀礼が行なわれましたが、そのときの祈りの言葉はアイヌの言葉です。そのような儀礼に参加するなかで、アイヌの言葉を体得されていくのだなと思いました。アイヌの儀礼では、アイヌの言葉を使うことが不可欠です。言葉を儀礼のなかから学び、アイヌ民族としての自覚、誇りを自然に身につけることができる。

アイヌ語教室とか、琉球諸語教室という教室のなかで言葉を学ぶことも大変重要だと思います。それとともに、実際の日常の言葉として使う機会として、祭祀、遺骨の再埋葬式は大変重要であると思いました。それらの様々な儀礼、遺骨返還運動を若者がになっていくなかで、言葉を覚えていくというような機会がふえているのではないでしょうか。それから二風谷ではアイヌのラジオがありますね。

上村　萱野志朗さんがお父様の茂さんの遺志を引き継いで、愛称FMピパウシというミニFM局をやっています。

松島　琉球にも、琉球諸語の番組があるラジオ局があります。「方言ニュース」が定期的に流れ、琉球民謡が、しまくとぅば（琉球諸語）で紹介される番組があります。

前川　そういう民族性をとり戻すという意味では文科省が一律にやっている教育を考えなおす必要があります。民族性や文化の一番核にあるのは言語、言葉だと思います。国語という教科のなかで日本語と琉球語とか、日本語とアイヌ語とか、国語の概念を広げればいいと思います。あるいは国語という言葉を使わなくてもいいと思う。今、教育課程特例制度がありますから、国語に代えて日本語と琉球語とか、日本語とアイヌ語とか。日本語は知ってないと不便だろうと思うから勉強したほうがいいと思います。でも、自分はアイヌだというアイデンティティをもっている人はアイヌ語を勉強する機会をちゃんと保障することが大事です。これはこれから日本にやってくるいろんな外国人についてもいえることですが、自分のアイデンティティにつながる言葉を学ぶ機会をちゃんとつくってあげることが大事だと思います。

松島　ハワイではカメハメハ・スクールがあって、そこでハワイの先住民族の言葉を教えています。グアムでもチャモロ語を幼児期から学ぶことができるスクールがあります。グアム大学でもチャモロ語の授業があり、大学の本屋ではチャモロ語の教科書も販売されていました。島のテレビでも、ときどき、チャモロ語講座のミニ番組を見ることができます。アメリカ合衆国では、多くの民族が存在しているため、言語教育の制度や方法も多様になります。もちろん、そうしなければアメリカという国自体がもたないということもあります。日本も多様性をもった社会ですので、それに応じた言語教育、歴史教育を正規の授業の中で行なう必要があると思います。私も、日本で作られた教科書を琉球で小中高と学んできましたが、雪の降らない琉球で、どうして川端康成の『雪国』を味あわなきゃいけないのか。そういったことで、今では琉球の歴史の副読本もつくられています。

前川　琉球だけの教科書があっていいと思います。あるいはアイヌの人たちが使う教科書があってもいいと思う。それを教科書として文科省も認めるべきだと思うな。

上村　前川さんのおっしゃった国語から日本語へという認識の転換は重要だと思います。外国人にとっては一般に日本語ですが、植民地化すると変化します。戦前の台湾で原住民族などに使われたのは「国語教育」でしたし、琉球では「標準語教育」です。支配の形で言葉の呼び方がかわる。ただちょっとだけむずかしいのは、今アイヌ語と呼んでいる言葉は、国会議員も務められた萱野茂さんが二風谷を中心とした地域で集めたアイヌ語です。つまり、実はアイヌ語のなかには標準語がありません。中央集権的な国家があれば、文部科学省のような組織を使って標準語や正字法なども作られます。日本でも、江戸時代には長州人と薩摩人は口語では意思疎通がむずかしかった。そのために、書き言葉、文語が重要な役目を果たしたと思います。井上ひさしさんの小説に『國語元年』（2002年）という小説がありますが、明治時代に標準語の「発明」が行われた。それで、ある意味こういう座談会も成立する（笑）。

アイヌ語の場合も同じで、萱野茂さんが集めたアイヌ語に俺たちのところとはちがうという声を聞きます。萱野さんのアイヌ語を標準語とするのか、別の標準語を作るのか、あるいは標準語そのものが必要ないのか。自分たちで納得する言語のあり方はじっくり話しあったほうがいいと思います。琉球も島によって言葉がちがいますね。

松島　そうですね。島ごとに言葉がちがいます。琉球大学の言語学者のなかには、共通語をつくったほうがいいんじゃないか、または、書き言葉を新たに作ろうじゃないかっていう模索をしている人もいます。そのときに首里、那覇語で統一するとなると、琉球のなかの差別問題が出てくるので、なかなかむずかしい。

上村　そうした問題を当事者どうしがうまく調整しながらシステム化することが大切だと思います。そこが民族問題のむずかしさで、いい意味での、大人の世界での対応が必要です……。

前川　文部科学省が作る国語の学習指導要領のなかでは、昔はとにかくもう標準語で統一する、方言も民族の言葉もなくしちゃうという考え方だった。今の学習指導要領は日本語の下位概念としてですが、方言は大事にするということまではいっています。だけど、琉球語やアイヌ語は方言の範疇にはいるのかというと、方言を超えています。つまり日本語とは別の言語だと考えるべきでしょう。学習指導要領にはそれぞれの民族の言語を大事にするとまでは書いていない。民族の言語教育となれば、在日コリアンの子どもたちの場合には、朝鮮語を勉強する機会をちゃんと作れという話になる。大阪に行くと小学校で朝鮮語の学習をやっている学校があります。ただ、あくまでもそれは課外授業です。

日本の国語の学習指導要領は方言を大事にするというところまでは、昔に比べると緩やかになりました。だけど、それぞれの民族の言葉を学ぶ機会を作りましょうとまではいっていない。そこをもう一歩広げれば、先住民族としてのアイヌや琉球についての言語を大事にするということにもなるし、それから、在日コリアンや在日中国人だとか、それから今やってきているニューカマーの外国人のルーツにつながる言語を学ぶ機会も作る、そういうところまでもっていければいいと思います。文科省のなかでは、そこまで全然考えていないだろうと思いますが。でもそういう言語教育政策をこれからとっていくべきじゃないかな。でも、琉球諸語というようにアイヌにも諸語があるわけですね。

上村　樺太アイヌの人たちが北海道にも住んでいますが、彼らには「エンチュー」という自称があり、言葉にもちがいがあります。アイヌ諸語と呼んでいいと思います。

前川　アイヌ語は、書き言葉になっていますか。

上村　書き言葉はありません。

前川　表記するときにはどうしますか。

上村　アイヌ語の研究は１９００年代に入って金田一京助によって進められますが、彼は積極的にアイヌ語をローマ字で表しています。アイヌ語は日本語にはほとんどない子音表記がありますが、ローマ字でうまく表記できました。１９２３年に刊行された知里幸恵の『アイヌ神謡集』では、アイヌ語はローマ字表記です。今はカタカナ表記が主流ですが、2000年にJISの第三水準にアイヌ語の子音表記ができる「アイヌ語カナ表記用拡張カタカナ」が設定されました。ク、ル、シ、スの小文字やセ、ツ、トなどの半濁音付きカタカナなどです。イタク（言葉）、イウォル（狩猟区）の最後のクやルは子音です。トナカイのトは半濁音です。ただ個人的には、この第三水準の拡張カタカナはどこにあるか分からなくて使ったことがありません。

前川　ローマ字が便利そうな気がしますね。

「国語」の問題

松島　日本政府の言語政策のなかで「国語」というものをどういうふうに考えていくか。日本語という一つの言語を「国語」として学問的に整えていったのが上田萬年です。こうした明治時代の国語政策があって、日本語に特別な位置づけを与えました。ある種イデオロギー的といってもいいでしょう。グローバル化が進んだいまは、そういったものを解体していくというか、「国語」という学科名もなくしていくことが求められているのではないか。多くの民族が日本に住むようになった現在、日本語とは、異なる民族同士が意思疎通するための、一つの手段でしかありません。

前川　「国語」という言葉やめたほうがいいです。「日本語」といったほうがいいです。

上村　先ほどもふれましたが、同感です。

松島　伊波普猷という沖縄学の父と呼ばれた学者がいます。上田萬年と伊波普猷は師弟関係にあります。伊波普猷は東京帝大の学生で、上田の指導を受けていました。伊波普猷もやはり日本語を祖語として、その関係のなかで琉球の言葉を位置づけるという方法を採用しました。そういう解釈に立った研究が長年続けられてきました。でも、近年では、琉球の言語は日本語とは別の言語なんだと、ユネスコも位置づけるようになりました。「方言」ではなく、独自な言語として琉球諸語を研究している研究者が増えてきました。琉球諸語の話し手も、日本人としてではなく、琉球人であるというアイデンティティの発露として、それを使っている人も多く見られるようになりました。これからも日本語を「国語」として考え、教育することには大変疑問です。日本政府、日本国民のみならず、琉球、アイヌの人々は、「国語」と自分たちの言語の関係性を改めて問いなおす必要に迫られています。

そもそも「国語」という科目は日本にだけあるのか、ほかの国にもありますか。

前川　国語を英語に訳せばナショナルランゲージでしょう。でも、教科の名前としてはアメリカでもイギリスでもイングリッシュです。日本はひとくくりにイギリス人というけれど、そのなかにはウェールズ人も、スコットランド人も北アイルランド人もはいっています。もともとちがう言葉を話していた人たちが、共通の言葉としてイングリッシュというイングランド人の言葉を学んでいるわけです。

私は以前、イギリスに居たことがあるんですけど、北ウェールズを旅したときに、まわりの人がウェールズ語をしゃべっているのにびっくりしました。パブに行ってビールを頼んだら、聞いたことのない言葉をみんなしゃべっている。たしかに車で走っていると、標識が英語とウェールズ語と両方で書いてある。ウェールズ語もローマ字で書いてあるけど、全然読めない。英語読みしようとしたら全然読めなかった。

私はユネスコ代表部にいたこともあるので、フランスにも3年居ました。フランスは、フランス革命のあと、言語政策でもうバシッとフランス語で統一しちゃった。もともとケルト系の民族もいたし、同じラテン語系の言葉でも南フランスには今のフランス語とはかなりちがうフランス語があって、おそらく今のカタルーニャ語なんかに近い。南フランスのワインのことをラングドックというけど、ラングドックというのはもともと南の言葉という意味です。もともとフランスにはいろいろちがう言葉があったのに、フランス革命で国民国家だといって一つにしてしまった。でも、フランスでも「国語」とはいっていない。

松島　日本独特のものでしょうか。

前川　私が1973年に東京大学にはいって、教養の科目をとったときに、「国史」という授業がありました。日本の影響でしょうか。韓国でも比較的最近まで韓国の歴史を「国史」という科目で教えていました。

国語とか国史という言葉の大前提は中曽根さんが言ったような単一民族国家という概念がもともとあると思います。中曽根さんという人には大和民族と日本国は、アイデンティカルなもので、大和民族による日本国の憲法を作れといっている（笑）。

上村　先日、松島さんの友だちで司法書士の安里長従さんに招聘され盛岡で話してきました。盛岡には蝦夷（えみし）の伝統が残っていて、8~9世紀にはアテルイ、モレという、坂上田村麻呂とも戦った優秀な蝦夷のリーダーがいました。戦いで田村麻呂が勝利すると二人は捕虜として、京都に連行されます。

田村麻呂は二人の優れた資質を見抜いて、助命を嘆願しますが、斬首。慰霊のために建立したのが清水寺です。その境内に岩手県人会が建てたアテルイ、モレの顕彰碑があり、また岩手県の南部にも顕彰会があって、ともに「朝廷の侵略軍」から地域を守った英雄として伝えられています。大和民族の物語もどこか眉唾っぽい……（笑）。

前川　東北には、そういうところがあります。古くはそのアテルイだし、最近でいえば、薩長の官軍と戦った奥州列藩同盟です。私は今、福島県で自主夜間中学のボランティア講師をやっていますが、長州に対する恨みが今でもすごく強く残っていることを感じます。

上村　日本人の権威に対する抵抗意識、批判精神というものはやはりあったし、あると思います。じつは私の祖母方は会津の家系です。曽祖父は、戊辰戦争後、家族を連れて台湾に入植するのですが、明治政府と言ったためしがなく、薩長政府と言っていたと聞きました。あの薩長のやつらがある種強奪した政権に、政府としての正統性を認めようとしなかった。だから憲法草案を書いた植木枝盛だとか、ロシアの皇太子暗殺未遂事件で司法権の独立を守ったといわれる児島惟謙にしても、薩長と距離のあった藩の出身の人が権威に対して批判的な傾向があったのではないでしょうか。私は、彼らを民主主義者だとは思いませんが、明治の初年には時代の転換のなかで、権威に対する批判が登場する空間があって面白かった。しかし、だんだん、「国民教育」のなかで、みんなが権威を批判しない帝国の「臣民」になっていったような気がします。

前川　東京で明治150年といっているときに福島では絶対そう呼ばなかった。戊辰戦争150年といっています。明治政府に対する恨み辛みがあるのでしょうか。

松島　ありますね。琉球でも琉球併合140年、今年です。

上村　近代国際法からすると、琉球の問題は明治初年から議論したほうが合理的なのです。ただ、気持ちの部分では、琉球人にとって薩摩に侵攻された1609年がまず出てくるのでしょう。

松島　そのときに薩摩軍と戦った謝名親方がいて、彼は久米村(クニンダ)の琉球人です。つまり、中国系琉球人です。彼は戦いに破れたあと薩摩に連行されて、起請文という、薩摩藩への従属を認める文書への署名を拒否したので処刑されました。この謝名親方の顕彰碑が現在那覇市の波の上というところに立っています。これは、鄭氏(ていうじ)という中国系琉球人の門中（琉球の親族集団）がつくったものです。石碑には次のような文言が刻まれています。「謝名親方は琉球人の自由と独立をまもる為に死を以って戦った唯一人の人物であった」。薩摩との戦い、その後の搾取、それにもかかわらず琉球国は自立独立していたという意識が現在でも生き続けています。しかし琉球併合でそれもなくなり、今は日本の植民地になったのです。

盗まれた遺骨

松島　琉球から盗み出された遺骨について、問題提起をさせてもらいます。

上村　その前に、アイヌの場合だと遺骨と副葬品がはいります。琉球の場合もやっぱりそこもはいりますか。

松島　いえ、琉球の場合は今のところは遺骨だけです。百按司墓でも、金関が盗んだものは遺骨だけで、副葬品は確認されていません。

上村　わかりました。

松島　琉球が日本の植民地になって不平等な関係性になったのを利用して、日本の研究者が琉球の墓を暴いて遺骨を盗んでいきました。どのような背景で、遺骨を盗んだのかを京都帝国大学助教授の金関丈夫自身が「琉球の旅」という報告文に残しており、それは今でも彼の『琉球民俗誌』（法政大学出版局）で読むことができます。彼は今帰仁村の百按司墓から遺骨を盗んだだけではなく、沖縄島内のほかの場所からも遺骨をもって行ったと、同書に書かれています。たとえば、中城城というところからは母親と子どもを父親が葬ったことが書かれた厨子甕からも遺骨をとっていきました。現在、京都大学がこれを返さないといっています。なぜならば、金関は沖縄県庁、沖縄県警の許可を得たといっているからです。

前川　形式論ですね。

松島　日本の民法には、祭祀承継者、つまり遺骨となった人の子孫、祭祀をしている人が遺骨の所有権をもっているという規定があります。これは旧民法も同様です。そうであっても、京大は琉球人の祭祀承継者の返還の声には一切聞く耳をもたず、「自分たちのものだ」と主張をしています。この問題が、琉球でクローズアップされたのが今から2年前、琉球新報社の宮城隆尋さんという記者が遺骨盗掘問題について連載記事を書いたときからです。その内容は、アイヌ民族の遺骨盗掘問題、その返還運動や再埋葬の動きと並行させる形で、琉球の遺骨の盗掘問題に焦点をあてて、先住民族の自己決定権に係る問題として位置づけました。多くのアイヌ民族のインタビューを載せましたので、今帰仁村百按司墓琉球人遺骨盗掘が、先住民族の人権問題であるとの認識が広がりました。日本による植民地支配から脱却する具体的方法として、遺骨返還運動を位置づける運動の契機になったのではないでしょうか。

宮城さんは、遺骨の問題だけではなく、「民族の炎」というまた別の連載を書きました。彼はカタルーニャ、スコットランド、バスク、グアム、パラオなどに行って、独立運動の現場等での取材を踏まえて、自己決定権の問題としてこの盗掘問題を位置づけました。沖縄タイムス社でも、与儀武秀さんも、2017年6月に京都の同志社大学で行なわれた琉球人遺骨盗掘問題に関する学習会を取材され、日本の琉球に対する植民地支配の問題として琉球人遺骨盗掘問題を認識し、ポストコロニアルスタディーズの観点から京大を批判する、論評記事を連載しました。さらに東京新聞の白鳥龍也記者は、2017年8月、私が京大総長に対して、遺骨返還の要望書を手交するために直接、京大を訪問した際にも同行取材をしました。また同紙の社説、コラム等において、本問題に関する論評記事を執筆し、京大の植民地主義的対応を批判しました。他の新聞社を含めた記者から本件に関して、京大本部に対して取材がなされましたが、「個別の問い合わせには答えない」と述べて、すべての回答、対話を拒否しました。

私は京都で働いており、直接、京大に行って百按司墓の遺骨に関して話を聞きたいと思い立ちました。できるならば、京都大学総合博物館に保管されているご遺骨に、手を合わせたいという気持ちで何度か出かけ、「人骨実見」申請書を出しました。その際、京大大学院教育学研究科の駒込武さんが、「人骨実見」申請書で私の保証人になってくださいました。なお、2017年6月に同志社大学で本件に関する学習会を、同大学奄美沖縄琉球研究センターの冨山一郎さんが開いてくださいました。また、2019年から、京大の駒込武さん、松田素二さん、同志社大学の冨山一郎さん、板垣竜太さんらが中心になって、大学研究者によって奪われた琉球人、奄美人、アイヌの遺骨盗掘問題に関する連続学習会が開かれました。京大生が編集、出版する『京都大学新聞』でも本問題が何回か特集で報じられました。京大当局の対応が植民地主義的なものになればなるほど、それに対する疑問や批判が高まるようになりました。

2017年から今日まで、京都大学当局の私に対する回答は変わりません。「個別の問い合わせには一切応じません」、それのみです。なぜ応じないのかをいわない。

ノーベル賞受賞者も複数出しているような大学が対話もしない、質問にも答えない、なぜだろうと思いました。そこで、大学には情報公開制度というのがあるので、京大法人が保有する人骨番号が記載されたすべての書類を出してくださいという申請もしました。京大には約1400体以上分の遺骨があるということが知られています。それは清野謙次という京都帝国大学医学部教授が、自分自身、また自分の弟子等を通じて集めたもので、「清野コレクション」と呼ばれています。アイヌ、琉球、アジア太平洋各地の遺骨、日本人の遺骨が、今でも京大に保管されています。当然、1400体分の人骨番号が記載された「人骨原簿」が出てくると思っていたら、750番までの法人文書しか提出しませんでした。751番から1400番代までの文書はなぜか見せません。百按司墓琉球人遺骨の人骨番号は、清野コレクションによれば1000番台以上が多いのです。それを出さないと。きっぱり「750番」までの文書しか見せないことも、「隠したい」という意図的なものを感じます。情報公開といいながら情報を出さない。私は京大の一番の責任者である総長にも質問を出して、返還の要望書も出しました。

前川　山極さんですか。

松島　山極寿一さんです。回答文は総務部総務課から返事が来ました。本件、つまり琉球の遺骨にかんして質問に答えない、よって本件を目的にして、京大に来ないでくださいと書いてありました。

前川　来ないでくださいですか（笑）。

松島　立ち入らないでください、そういう主旨ですね。私はこの件では京大に来てはいけない人になってしまいました。

前川　出入り禁止だ（笑）。

松島　質問にも答えないし出入りも禁止。それで困った、困ったというより怒ったわけです。衆議院議員の照屋寛徳さんが以前、琉球民族独立総合研究学会主催のシンポにおいて、「琉球は独立すべきだ」と報告してくださったというご縁もあって、国政調査権をおもちなので、ご協力をお願いしたところ、同調査権を行使してくださり、文科省を通じて、京大当局から回答を引き出してくださいました。多くの質問を照屋さんは京大に投げかけてくださいました。その結果、京都大学総合博物館に琉球人遺骨が存在することは認めますと、初めてその存在を公式に認めました。さらにつけ加えて、四角いプラスチックの箱に収められていると答えました。照屋さんは、ほかにも、どんな研究していますかなど、いろんなことを聞きましたが、答えない。担当者が海外出張中ですので答えられませんという回答でした。いまはとっくに海外出張から帰ってきているはずですけど、その後も返答なしという状態です。私たちが選んだ国会議員の質問に対して、国政調査権に対してもこういった態度であり、いやいや、大変な大学だなと思ったものです。その後、照屋さんは京大総長に２回、公開質問状を送りました。しかしながら、ほとんどまともに回答しませんでした。京大は、無視すれば、諦めてしまうだろうと、琉球人を見くびっているのでしょう。

２０１７年11月、コタンの会代表でアイヌ民族の清水裕二さんを私の大学にお呼びして講演をしてもらい、そのあと一緒に京大に行きました。そのとき京都新聞の岡本晃明・論説委員も一緒に行きました。事前に、「総務部総務課に行きます」と連絡をしておきました。京大に保管されているアイヌの遺骨にかんする報告書があるので、それをもらいたいし、京大が保管しているアイヌ、琉球人のご遺骨についていろいろ話も聞きたいと考えていました。到着すると、入り口にガードマンが立っていて、はいれませんといわれました。

前川 やっぱり出入り禁止なんだ。

松島 私がいたからなのか、わかりませんが、出入り禁止です。

内線電話があったので、ガードマンさんにそれで総務部総務課の職員さんと話をしたいといったら、いや、使わせないといわれました。仕方なく私の携帯で、外線電話で電話をすることになりました。総務課の部屋から出て、私たちがいる場所に「来てもらえませんか」というと、「行きません」というわけです。報告書もないという。いろいろ問答してもすべてゼロ回答です。

前川 安倍政権みたいだな。

松島 清水さんが、明日北海道に帰るから、せめて名刺交換させてくださいといったら、職員が「その必要はない」といいます。なぜ必要がないのかもいわない。非常に悲しい気持ち、怒りの気持ちで、私と清水さんは帰りました。

これ以上、話しあいは無理だと判断したので、去年12月4日に遺骨の返還を求める裁判を京都地方裁判所に提訴しました。私たちは、常識の範囲で考えられる方法を通じて、遺骨に関する情報を聞きたい、話をしたい、また、ご遺骨の骨神（ふにしん）を拝みたいという、「ささやかな願い」がことごとく、全部却下されました。しかたなく裁判を通じてこうした情報を得て、ご遺骨を元のお墓に帰還させるしかないと考えて、提訴にいたりました。この提訴後、丹羽雅雄弁護団長（嘉手納爆音訴訟、知花昌一さんの日の丸焼却裁判、在日コリアンの教科書無償裁判にもかかわっている弁護士）は、この問題の核心というのは、日本による琉球の植民地支配であり、歴史認識問題であり、植民地主義という歴史的、社会的背景のもとに遺骨が奪われたことであると指摘しています。京都大学は自らの植民地主義をちゃんと清算していないので、質問に対する回答も、遺骨の返却も全部拒否する結果になったのです。そういった日本の植民地支配の歴史的な検証が、この裁判の大きな核にあるというふうに考えています。遺骨の返還、京大による不法行為に対する賠償だけではなくて、大学による犯罪という「学知の植民地主義」、歴史認識の問題として、この裁判を戦おうというふうに位置づけているのです。

遺骨をなにに使おうとしていたか

松島　遺骨に関心を示しているのが形質人類学者です。アイヌ民族の場合もそうなんですが、戦前、アイヌとか琉球人の遺骨を盗み出して、何を証明したかったのかというと、「大東亜共栄圏」のなかの指導民族としての日本人の優秀性をいわゆる「科学的に証明する」ことでした。どんな研究をするかというと、たとえば、頭がい骨の大きさの比較です。周辺民族にくらべて日本人の頭がい骨のほうが大きいから「優秀」であるという、人種差別に基づいた「研究」であり、植民地主義的な方法に基づく「研究」です。欧米諸国が自らの帝国主義を拡大する過程で、植民地支配した諸民族を統治し、「支配する民族の優秀性」を、「文明と野蛮」という対立軸を通じて、正当化する、とんでもない方法を、日本帝国の研究者も採用したのです。日本での先駆けが東京帝国大学教授の坪井正五郎であり、京都帝国大学教授の清野謙次でした。清野の弟子に金関丈夫がおり、金関は足立文太郎・京都帝国大学教授の指導も受けていました。大学として組織的に遺骨の盗掘と分析が行なわれてきました。

こういった形質人類学を専門とする研究者が、戦前の人種差別主義を総括、反省していないということが、最近明らかになりました。今年7月20日に、日本人類学会（学会長は篠田謙一氏）がこの裁判に関して、京都大学への要望書という形の文書を出しました。学会として琉球人遺骨返還訴訟に関心をもっており、この裁判の返還請求の対象となっている琉球人遺骨は「古人骨」であり、学術研究にとって非常に重要であるため、研究用として使うべきだという内容の要望書を京都大学に提出したのです。被告・京大に有利になるような要望書です。本来、学会は中立性を保つべきで、係争中の裁判に対しては特にそうだと思いますが、一方的に被告に肩入れする形で要望書を出すこと自体、異例です。

この日本人類学会は、2017年に、日本考古学協会、北海道アイヌ協会とともに、「これからのアイヌ人骨・副葬品に係る調査研究の在り方に関するラウンドテーブル報告書」を公表しました。同報告書のなかでは、研究よりもアイヌの人びとの信仰を重んずるべきだと書いています。しかし、今回の要望書では、琉球人に関しては、研究を優先すべきである、遺骨を還して再風葬すべきではないと、主張しています。研究者の植民地主義は今でも変わっていないのです。

それから、特に戦前は、人骨の研究法として、人骨を計測し、統計分析する方法が主流でした。しかし今は、ゲノム研究、遺伝子研究が最先端の研究とされ、その過程で、遺骨は破壊され、電子顕微鏡で観察されます。研究者は、いくつもの仮説を出しますから、同じ骨でも何度も破壊し続け、最後には骨がほとんどなくなるということも予想されます。日本人類学会会長の篠田氏も、人骨のゲノム研究方法において日本での第一人者とされています。篠田会長は、琉球においても、たとえば石垣島の「白保竿根田原遺跡」という遺跡において、3万年前の遺骨のゲノム分析を行ないました。また篠田会長は、「浦添ようどれ（うらそえようどれ、ウラシーユードゥリ）」という、国王、その親族の墓に納められた遺骨のゲノム分析も行ないました。この墓には、琉球国王で実在が確認された最も古い国王である、英祖王、1609年に島津藩によって琉球が侵略されたときの国王である、尚寧王の遺骨も納められています。この二人の国王は琉球の歴史にとって、また琉球人のアイデンティティにとっても大変重要な存在です。このように篠田会長は、琉球の「人骨研究」の当事者であり、京大への「要望書」を通じて、自らの研究のために、百按司墓琉球人遺骨の再風葬に反対したのです。琉球人の骨神信仰に敬意を払ってもらいたいと思います。琉球人の信教の自由を侵害してまでも、自らの研究を行なう権利はもっていないと思います。

科研費という日本政府からの研究補助金、約1億を得て、2018年から2022年まで続く新学術研究として、「ゲノム配列を核としたヤポネシア人の起源と成立の解明」があります。日本人はいつ、どこから来て、どのように成立したのかという、「日本人の自分探し」「日本人アイデンティティ」のために、琉球人遺骨のゲノム研究が必要であるとされています。

伊波普猷が東大の学生だったとき大学の休業期間に、同大学の研究者であった鳥居龍蔵の琉球調査の案内役となりました。そのときに鳥居は、中城村で多くの琉球人の遺骨を盗掘したほか、琉球の子どもたちを集めて身体計測をしています。鳥居は琉球のみならず、日本が植民地支配した地域に行き、人類学調査を行ないました。つまり日本軍によって守られる形で、日本人にとって「未開」といわれた場所に入っていきました。台湾において、鳥居は拳銃をもって台湾原住民族の村で調査をしたともいわれています。植民地の人びとの身体を計測し、分類し、研究資料として遺骨や文物を持ち出しました。鳥居龍蔵は、日本帝国による植民地支配を正当化し、支配対象となる民族の特性を知り、「円滑な統治方法」を得る上での資料、根拠を日本帝国政府に提供しました。

皇民化教育がもたらしたもの

松島 当時、島袋源一郎という琉球人がいました。彼が金関を百按司墓に案内しました。彼は沖縄県師範学校の卒業生でした。明治政府が琉球を植民地支配してまず作ったのがこの沖縄県師範学校の前身の会話伝習所です。沖縄県学務課が『沖縄対話』という教科書を作って、会話伝習所で日本語学習を強制したのです。言葉によって琉球人を日本人に同化しようとしました。沖縄県師範学校は、教員養成を行なうための学校でしたが、その教育の中心に位置づけられたのが、日本語教育であり、同校は、同化政策、皇民化政策の拠点であったのです。なお、金関が琉球から遺骨を盗掘するさいに、「許可」をもらったとされたのが、沖縄県学務課の日本人幹部です。

島袋は、沖縄県師範学校卒業後、小学校の教員や校長、沖縄県学務課の社会教育主事、郷土博物館館長等を務めた、戦前の皇民化教育の中心になった人物です。『沖縄善行美談』等、彼が書いた本も読みましたが、天皇中心の国家体制、日本への愛国心が溢れた内容でした。そのような教育を琉球のなかで進めた琉球人が金関を百按司墓に案内したのです。

百按司墓のすぐ近くに「源為朝公上陸之跡」の石碑があります。石碑の刻字は東郷平八郎が書きました。それを建立した中心的な人物も島袋源一郎です。源為朝は実在の人物であり、伊豆諸島で自害しました。ここに伝説があり、為朝は日本から琉球にやってきて、琉球の女性と結ばれて、琉球の最初の国王になる舜天（しゅんてん）という子どもをもうけたとなっています。

前川　義経がジンギスカンになったみたいな話ですね。

松島　そうですね。そういった伝説があたかも実際の歴史であるというように、可視化したのが為朝上陸の石碑なのです。為朝は、日琉同祖論を主張するときの根拠となる人です。

島袋は、このように歴史修正主義者でもあるのですが、源為朝伝説を石碑という形に具象化して、日本史のなかの琉球または沖縄として位置づけようとしたのでしょう。

前川　この島袋さんは、自ら進んで協力したという感じがありますね。

松島　そうですね。島袋は、金関と一緒に百按司墓に行きました。百按司墓はもともと崖の下に遺骨を木棺、厨子甕(ずしかめ)に入れて安置し、壁のない屋根で覆われた形で風葬されていました。遺骨がそのまま見えるような状態になっているものもあったそうです。1880年のはじめに、日本人の沖縄県知事、上杉茂憲がその現場を見て、「墓が荒れ果てている」と判断して、木棺や厨子甕を外から覆おうような目隠しの壁を作りました。現在の百按司墓は、周りに構築物がありますが、これは日本人の知事が作ったものです。日本人にとっては遺骨がそのまま見える状態は「捨て墓」であったかもしれませんが、琉球人は遺骨を骨神として信じており、今帰仁上りという聖地巡礼を行なっていましたので、金関が盗掘したときも、同墓で祭祀が行なわれていたのです。それを金関が壁を乗りこえて遺骨を盗んでいきました。しかし、その現場にいた島袋や琉球人の巡査たちは、そこまではできなかったそうです。連れていったけども、遺骨をとっていったのは金関一人だけでした。琉球人の精神、アイデンティティが出てきたのかもしれません。先ほどお話しした伊波普猷も鳥居龍蔵の案内役でした。琉球在住の知的エリート、文化人は、現地の案内役として日本人の研究者、文化人を島のなかにいざない、貴重な遺骨、文物の盗掘、持ち出しを認め、支援しています。その意味でも、皇民化教育は、日本人による琉球に対する収奪を可能にする役割を果たしました。

上村　1903年に人類館事件があったとき、植民地支配された人たちの心のもち方はすごい複雑でした。展示されたアイヌ民族の記録では、陳列されることは百も承知だが、それでも日本人にアイヌ民族が存在することを知らしめたいという気持ちがあったといわれています。琉球人女性も人類館に展示されますが、抗議したのが太田朝敷という琉球新報の主筆です。彼の抗議の理由は、簡単にいえば、「未開な」アイヌ民族と一緒にするな、ということでした。沖縄県民はすでに立派な帝国臣民だという理由です。彼の書いたものをほかにも読んでみると、実はものすごく沖縄のことを愛し、誇りをもっています。だからこそ、われわれ沖縄人は日本人や日本政府に見下げられないようにしなければならないと考えるわけです。日本人に笑われないように、日本人と同じことをすること、極端になると、くしゃみの仕方まで日本人のまねしろと、言ったりします。沖縄のことを愛しているからこそ、屈折して帝国の構造に絡めとられた人たちがいた……。

松島　その背景にあるのは、ものすごい差別です。沖縄人であることが識別されると、日本人とはちがう存在であるとして徹底的に差別される。「朝鮮人、琉球人お断り」という看板をかかげたお店があったのが現実ですし、就職、結婚などでも差別が厳然としてありました。であれば、日本人になることが琉球人にとっては幸せなんだという結論にいってしまう。伊波普猷も、琉球は、もともとは日本と一緒なんだという、日琉同祖論を学問的に正当化する「沖縄学」を作った人として知られています。ほんとうに屈折しています。

屈折しているところを、現在生きる琉球人はそれをどう考えるのか。屈折のままでいいのか。さっきの土人発言につながりますが、屈折した状態のままでいいわけはない。日本から自立しなければ差別はつづく。自分は日本人になった、または、なったと思っていても差別はつづく。私も自分は日本人だと思って東京に行ったけれども、いや、あなたはちがいますという扱いを受けた。これは差別というかどうかはわかりませんが、私自身は差別と感じました。琉球人が日本人であることを決めるのは日本人です。戦前も、徹底的な同化教育が行なわれ、「日本人」として沖縄戦にも住民が駆り出された。しかし、沖縄戦の過程で、「沖縄語を話す沖縄人はスパイとみなし、その場で殺害せよ」という内容の日本軍の軍命が発出されました。実際、沖縄語を話す琉球人が日本軍によって虐殺されました。琉球人は日本軍によって強制的集団死を求められました。この背景にも、「日本人として天皇のために死ぬのは当然」という日琉同祖論があります。琉球人を支配し、統治するという政治的意図がある場合、琉球差別は続きます。その差別は、被差別者が日本人に同化することで終わるのではなく、差別者が琉球人に対する差別を反省し、差別を止めるまで続きます。

現在、琉球は日本の植民地ですので、高江での「土人発言」が象徴しているように、琉球差別は今でもあるのです。2009年、鳩山由紀夫首相が米軍基地の県外移設を、各県知事、各都道府県の人びとに求めましたが、すべて拒否されました。そのとき、琉球の人から発せられた怒りの言葉が「沖縄差別」です。全国面積の0・6%しかない沖縄県に、米軍専用基地の70%を押しつけることは、明確な差別です。それが戦後75年も続いており、辺野古や高江において新たな米軍基地が建設されているように、未来永劫、基地問題を琉球人に押しつけようと、日本政府、日本国民の大部分は考えています。

琉球人と日本人とは異なる民族であり、それぞれがその存在を尊重しあうことによって差別はなくなるでしょう。琉球人の精神、信仰の核心にくるのが、先祖崇拝であり、骨神信仰です。琉球人とご先祖の関係というのは、日本人とご先祖の関係とやっぱりちがいがあります。異なる民族ですからちがっていて当然です。琉球人にとって、遺骨はモノとしての骨ではなく、遺骨は「骨神」という神様になり、死後も魂魄（マブイ）が子孫を守護してくださると信じています。それがお墓のなかに存在することによって、その後の先祖と子孫との関係がつづいていくわけです。琉球には現在、亀甲墓、破風墓という大きな墓がありますが、その前には広場があって、そこで清明祭とか、十六日祭という、先祖供養の祭祀が行なわれます。親戚一同が墓前で、飲食をご先祖と一緒に行なう。「ともに生きている」という感覚になります。ご先祖はニライカナイというあの世に行っているけども、ときどきは島に帰ってきて、生きている家族と一緒に食事もするし、話もするし、守ってもらえるという信仰、考え、思想が今でもつづいている。そのような琉球社会に対して、研究者が、いや、この骨は学術上重要だからといってとっていくことが認められてしまったら、琉球人の世界観、生き方が全否定されるようなものです。琉球人の人間性、人権の回復につながることなので、この裁判は琉球人の生存、権利、誇りにとって非常に重要だと思っています。京大は琉球人差別をただちに止めなさいと強く訴えたいです。

学問の反省はどこまで進んだか

上村　日本の学問はかつての帝国に奉仕していた学問の系統をやはり引き継いでいます。見えにくいところでは、戦前の植民地経営学が戦後の開発学に大きな影響を与えています。そうしたなかで、研究者あるいは研究機関の反省はどれだけ進んでいるのでしょうか。欧米を手放しで褒めるわけにはいきませんが、それでも日本が見習う必要のほうが多いではないでしょうか。大学に勤めていると、研究倫理が最近学習プログラムを使って学ばなければならなくなりました。しかし、どんな内容かというと、たとえば、研究助成金を不正に使わない、他人の業績を盗用しない、ということが中心です。ところが、欧米の場合では、ここまでやるのか思うほど、研究対象者への人権の尊重、研究対象者を搾取しないことが手続きとして、研究の前提になっています。日本の場合は、簡単にいうと、犯罪になることは止めましょうということで、研究自体の搾取性や犯罪性は問題になっていません。

帝国時代の学問との連続、研究の搾取性に関しては今回のテーマにもつながる民族学者や人類学者がよく問題となります。しかし、有名な関東軍防疫給水部、731部隊、そしてそこに集められた医者たちが戦後社会で何をしたのか。ほかにも、シンガポールなどの占領地では、弁護士たちが法務官として赴任していますが、戦争が終わって戻ってきたら、あたかも何も知らなかったように、戦後それぞれの組織の重鎮に収まった人も少なくありません。戦争が終わり、明日から死ななくてよかったという感情は、いわゆる国民に共通したとは思いますが、他方その裏側で、軍国主義なり植民地体制なりでの責任に知らん顔して過ごしてきたのも事実です。その付けが現在の民主主義にも影響しています。韓国が今でも「親日派」と対峙しなければいけない理由は、彼らを通じて帝国の支配構造がいろいろなところに残り、それが民主化を阻んでしまうと考えているからです。

松島　先ほど清野謙次の話をしましたけども、彼の弟子の一人に石井四郎がいます。京都帝国大学大学院で2年間、清野は石井を直接研究指導しています。石井は731部隊の司令官で、生物兵器の開発を進め、旧ソ連や中国で実際、それを使用し、多くの犠牲を生みました。清野は自分の弟子を石井の求めに応じて、731部隊に派遣し、その代わりに日本軍から研究費、研究結果等を得ることができました。現在、問題になっている「軍事研究」を京大研究者を組織的に巻きこんで実施したのが清野であり、これは大学による戦争犯罪であるといえます。しかし石井四郎をはじめとする、731部隊の幹部らは、自らの軍事研究の記録、「成果」をアメリカ政府に提供しました。そのために免罪になった。アメリカと日本とのあいだにはこういったいびつな関係もありました。日本は植民地支配に寄与したという、「学知の植民地主義」に向きあい、反省、謝罪・賠償をすることなく、今にいたっています。ここをちゃんと見つめ直さないといけない。植民地で差別され、支配されてきた者、またその子孫にとってこれは、解決しなければならない、大変な問題です。

前川　帝国大学で最初にできたのは東大で、それから京都にできて、さらに七つできました。帝国大学令を作ったのは森有礼という人で、明治19年、西暦でいうと1886年。明治政府で大日本帝国憲法を発布する前に内閣政府を作って、それが1885年、明治18年。その初代総理大臣は伊藤博文で、初代文部大臣がその森有礼です。その森有礼は戦前の学校制度のベースを作った人です。それまではいろいろ制度がぶらぶら揺れていますが、それをがちっと固めたのがその明治19年です。小学校令、中学校令、師範学校令、帝国大学令というもろもろの学校令を矢継ぎ早に出した。この学校令で一貫しているのは、学校は国家のためにあるという考え方で、小学校から帝国大学まで全部その考えを貫徹しています。帝国大学令の最初のところに、帝国大学はなんのためにあるかを書いてありますが、「帝国大学ハ国家ノ須要ニ応スル学術技芸ヲ教授シ及其蘊奥ヲ攷究スルヲ以テ目的トス」と書いてあって、国家のために役に立つ人間をつくる機関だという。そういう定義づけをした学校としてはじまっている。それが帝大です。国家のために教育研究するという、その一貫として人骨を研究対象にするということもやったのかもしれないけれど、いまでもその体質を引きずっているのでしょうね。

上村　引きずった部分と、同じ構造のなかで視点が変わった部分があると思います。それは、戦前の研究者は国家のためが絶対ですが、逆に戦後は学問の自由を表に出して、学問の搾取性を隠蔽する。

前川　ああ、逆にね（笑）。

上村　基本的なことは変わってないのに、視点だけ中途半端に変わったから、研究者は政治にコントロールされずに自分の研究を自由にやることが大事だと幻想を信じこんでいる。

前川　それは自由というよりも独善に近い感じですね。

上村　そうです。だから研究をじゃまするな、研究の自由に介入するなという意識が強い。

松島　ええ。去年、杉田水脈・衆議院議員から私は名指して、琉球独立を研究する者に科研費が提供されている、けしからんといわれました。私が科研費で研究したテーマは、八重山諸島における内発的発展という、琉球独立とは関係のない研究だったのですが、琉球独立研究のために科研費を使ったと捏造して、私に対して新聞、ネット番組を通じてヘイトスピーチをしました。抗議文を送付しましたが、未だに謝罪していません。そもそも、日本では憲法や法律によって、どのような内容でも研究する自由が認められているはずです。琉球を植民地支配する日本にとって都合の悪い研究であっても、研究を認めることが、日本における学術上のレベルや内容を深めることになるのではないでしょうか。このように、国会議員が堂々とヘイトスピーチをする時代になり、それを認める社会状況が広がってきており、戦前に似てきたなと、自分の身近で発生したことを通じて、実感しています。同化圧力に屈して、琉球独立の研究や運動を止めることはありません。なぜなら、もともと国であった琉球が、国連や国際的な連帯に基づく脱植民地化運動を通じて、独立するのは当然の権利です。21世紀になっても琉球の植民地支配を続ける日本政府の在り方が問われなければなりません。

日本の政治家、右翼勢力が、「学問の自由」という戦後の価値観に介入し、「国家のための学問」を押しつけるなど、戦前回帰を志向する傾向が強くなってきたことにも警戒する必要があります。それに対しても私は闘っていきたいと考えています。

前川　杉田水脈という人は、もともとは日本維新の会にいた人ですが、２０１７年の衆議院選挙のときに安倍首相から熱心に勧誘されて自民党の比例代表候補になり当選した人です。私から見れば、安倍晋三氏と同様の歴史修正主義者です。「ＬＧＢＴには生産性がない」とか、性被害にあった人に「女として落ち度があった」とか発言し、夫婦別姓にも反対している人で、私はこの人にはまったく人権感覚がないと思っています。

「集めること」が目的化している

前川　遺骨の問題の折衷的、妥協的な方法はないんですか。まず遺骨を返して、返したうえで研究のために使わせてくださいというような部分的に使わせてほしいとか。そんなことはありえないのでしょうか。

松島　じつは、8月30日に京都地裁で口頭弁論があったときに、裁判長が進行協議をしましょうといいました。裁判長は、なんらかの受入機関に遺骨を返還したらどうでしょうかと提案されています。

京大側の代理人弁護士に問いかけたら、京大は、それは無理だと、だめだといっています。なんらかの受入機関があればそこに戻すという提案がだされた背景には、アイヌの例があったからだと思います。たとえばアイヌの遺骨がコタンの会または、地域のアイヌ協会に戻した例が何件かあります。それに京大が乗るかどうか、今のところは乗らないという姿勢を崩していません。乗るとしても、たとえば地域の教育委員会が遺骨を研究目的で引き受けて、再風葬はさせないみたいな形での引き受けの形を考えているのではないか。それでは、私たちが願う再風葬が実現しません。今帰仁村教育委員会と沖縄県教育委員会は、私たちが裁判で返還を求めている遺骨が祭祀の対象であることを認識してもらいたいと思います。

台湾大学から今年の3月に、金関丈夫が盗んだ63体分の遺骨が返ってきました。金関は京大助教授のあと、台北帝国大学の教授になりますが、そのときに琉球から盗んだものを台湾にもっていったのです。それが返ってきたのですが、金関の弟子の蔡錫圭さんという台湾大学の名誉教授が、沖縄県に戻すけれども、これを再風葬せず、研究対象にすることが条件だと言ったそうです。沖縄県教育委員会の所管下にある、沖縄県立埋蔵文化財センターに、これらの遺骨は保管されており、現在、再調査の準備をしているところです。琉球、今帰仁の歴史と文化を守るはずの教育委員会が、京大と同じように琉球人のご遺骨をモノとして考えています。金関が盗掘した琉球人遺骨を90年以上も保管して、それを琉球に戻す際に、その再風葬を禁止する権限を蔡さんはもっていません。彼は遺骨の祭祀継承者ではありません。

私たちは沖縄県教育委員会に行って遺骨の再風葬を求めて交渉をしてきました。教育委員会は調査というけれども、何を法的な根拠として保管しているのかと聞きました。文化財保護法には遺骨は文化財であるとは明記されていません。しかしながら教育委員会は、これは学術上重要なものであるから、調査を行なうと主張し続けています。しかしそれを保管する法的根拠をもっていません。違法な形で遺骨を教育委員会が占有しているのです。

今帰仁村教育委員会に対しても、遺骨の再風葬を求める交渉を行なっています。今帰仁村は、百按司墓がある土地と、その構築物の所有権をもっていますが、遺骨にかんしては祭祀承継者ではないので、それの所有権がありません。しかし、3年前から京都大学と今帰仁村教育委員会は協議を行ない、再調査を行なうという姿勢を変えていません。現在、遺骨を収容する場所がないため、沖縄県立埋蔵文化財センターに一時保管してもらっていると述べています。一時保管のはずですが、同センターでは遺骨に関する再調査を行なう予定です。

琉球人のご遺骨をどのように考えるのか、骨神なのかモノなのか。死者をどのように祭祀するのか、それは学術用に研究者によって調査の対象になるべきものかなど、ウチナーンチュ同士で議論すべきことだと思っています。京都大学との話しあい、法廷闘争とは、ちがうレベルでの話しあいです。別の意味で、困難をともなう活動ですが、琉球内の日琉同祖論を克服するために必要な過程だと考えています。話を進めているところです。それとともに琉球人の仲間として、琉球独自のコタンの会のような受け皿、そして再風葬、祭祀を行なう組織として、「ニライカナイぬ会」を立ち上げました。

上村　日本人だけではないかもしれませんが、研究者が何かを集めるというのは、いわゆるコレクター感覚が多い。彼らのコレクションは、実は集めること自体に意義があって、むしろ自分のステータスシンボルに使われます。本当に研究に利用したかというと、箱に入れて、積んであるだけ。ちゃんと研究したのかというと怪しいし、個人コレクションとしてむしろ私蔵された形になっている。

松島　私も、金関や他の京大研究者（三宅宗悦）が盗んだ琉球人遺骨を対象にした研究を調べてみましたが、現在まで、2件くらいの論文しかない。ほとんどが手つかずで、調べられていない。清野謙次は1400体以上の遺骨を集めただけではなく、京都の神社仏閣の掛け軸、古書、経典等を盗み逮捕され、刑務所に収監されました。それが原因で京大を辞めたわけです。

前川　ああ、そういうマニアだったんだ。

上村　今回、先ほど話に出た白老のウポポイには慰霊施設も作られ、返還先が不明といわれる遺骨も収納されます。ほとんどは盗んできたものですから、遺骨がバラバラにされて箱に入っている場合もあります。集めたときにていねいに扱わないこともあって、何体あるのかもわからない状態です。そうした遺骨を一つにまとめて慰霊もしましょうという発想の場所です。たとえばオーストラリアにも国の慰霊施設がありますが、何年も何年も時間をかけて、国とアボリジニーで話しあいをくり返して作られた施設だと聞いています。ところが日本では、あっというまに上から話が降ってきて、さらに、これでいいですねみたいな感じで決まってしまう。これも権利につながりますが、話しあいの対象者としてきちんと認識されていないのです。

松島　そうですね。白老にできる「民族共生象徴空間（ウポポイ）」といわれるところに、日本の大学に保管されているアイヌ民族の遺骨が一堂に集約され、慰霊施設もできますが、一方では研究者も研究もできるようになっている。遺骨のほとんどが個別の識別ができないとされ、地域に戻し、再埋葬することが非常に困難である。日本政府は、コタン（アイヌの村）に遺骨を返還させるための制度を作りましたが、様々な制限、条件を設けています。よって形質人類学者にとって、これまで日本の様々な大学に分散して保管されていたアイヌの遺骨が一か所に集約されたことで、研究がしやすくなったという状況が生まれたと認識しても不思議ではありません。

日本人類学会の会長の篠田謙一さんは、これまでアイヌから遺骨研究に関して批判を受けたことがあります。批判を受けたときに彼が答えたのは、自分たちのこういった研究があることによって、アイヌは自分たちの歴史も理解できるし、アイヌが先住民族であることをわれわれがこうやって証明している、だから自分たちの研究はちゃんと評価してもらわなきゃいけないというようなことをいったわけです。そういうのは上からの目線であり、植民者意識の現れではないでしょうか。

上村　私は北海道に行きはじめたのが70年代終わりですけど、お前は人類学者かあるいは言語学者かと聞かれました。私は政治学が専門ですというと少しびっくりされました。政治学者を免責するわけではありませんが、人類学者とか言語学者は、まずアイヌ民族は滅びるものだということを前提に研究を始めます。だからアイヌ民族の立場を尊重するなどの発想はなく、滅びる前に、言葉を記録しておこう、残った文化を保存しておこう。それがせめてもの学問の役割だと上から目線あるいは差別意識のなかで考えるわけです。ですから、人類学者が来た後で、その家の大事なお椀とか昔から大切にされた宝物が家からなくなる、これも遺骨と同じ泥棒です。言語学者は寝たきりのお爺さんお婆さんを叩き起こして、ユーカラを歌ってくれといって録音をとる。いまでも日本人の研究者のもとに膨大なテープが眠っているといわれています。そして、それは、個人のコレクションだからという理由で、アイヌ民族が利用できない状況もあります。本末転倒なのです。

私が萱野茂さんに最初に会ったときは非常に冷たい目で見られました（笑）。お前もああした研究者の一味だろうと言われました。そういう悲しい関係性でしかなかった時代がありました。

松島　西表島において、琉球独立を唱えている石垣金星さんがよくいわれる言葉に、「研究者は泥棒である」があります。研究者が、西表島にやってきて、民具、資料、書物などを借りていくといって返さない、どんどんなくなっていく。ということに金星さんをはじめとする島の人も気づいた。子どもたちに島の歴史や文化を教えるときに、現物があったほうが説明しやすい。だから自分たちで文庫をつくって、島の子どもたちが島の歴史や文化を学ぶ場所をつくりました。「泥棒としての研究者」には島の物を貸さない、盗まれるから。研究者はほんとに貪りとる、それでいて、ろくな研究もしない。これは遺骨に限ったことではないわけです。

前川　大英博物館に、植民地にしたところから集めたものがたくさんあって、返さないというのとなんか似ています。ようするに集めることそのものが目的化している。だから研究者というよりもコレクターみたいな人が多いということですか。

松島　集めたものを展示して、自分たちはこういったところを支配してるんだといって、大英帝国、また日本帝国の栄光を誇示する。そういった意識を国民のあいだに共有させるという時代がかつてあった。しかし、今はそうではない。たとえば旧植民地の国がイギリスやフランスの博物館に文化財の返還運動を起こして返還させたということもある。世界的には戻していく方向です。そういう流れに日本の研究者、日本の政府や大学は非常に遅れてる。

上村　返還運動も大きな流れなのですが、私が客員研究員をやっていたオーストラリアの大学で面白いキャンパスツアーがあったことを思い出しました。新任の教員や外国からの客員研究員などを対象にした大学と先住アボリジニーの関係を学ぶツアーで、キャンパスを回りながら、大学建設時あるいは英国人の入植時に、このキャンパスのあたりにどんなアボリジニーがどういう生活をしていたかを、アボリジニーの担当者が説明してくれます。ちょうど医学部のビルのところで、この学部が、研究と称してアボリジニーに何をしたかの説明があり、そのなかで遺骨の収集が行なわれたという話がありました。負の植民地遺産のこうした共有の仕方にはやや感心しました。

前川　アイヌの遺骨は大学がもう返すといいだしたのですか。

上村　北海道大学との話し合いは難航したため、2012年に浦河町のアイヌが札幌地方裁判所に提訴し、2014年には紋別と浦幌からも提訴がありました。その後、札幌地裁からの勧告に従って、2016年~2017年に3件とも和解が成立し、各コタンへの遺骨の返還が行われ、それぞれの場所で再埋葬が行われました。

北大側もこれ以上トラブルが長引くといやだということの結果で、返還に際して、謝罪などは一切行なわれなかったと聞いています

松島　私も浦幌で立ち会いました。北海道大学の副学長さんがネクタイを締めて、いろいろ、遺骨とか副葬品とか渡して、書類をつけて返しますと読み上げて、はい、さようならという感じです(笑)。

前川　ごめんなさいもいわないで。

上村　もうひとつ。今年8月末に沖縄にいました。そしたら台湾の原住民族のグループが来て、交流したいとの連絡があったので、琉球弧の先住民族会（ＡＩＰＲ）の当真嗣清さんと参加しました。どの民族ですかって聞いたら、ペイナンといわれました。ペイナンという民族は台湾にあったかなと思って、「すいません、私はその名前を聞いたことないんですけど」と聞き返したら、もともとプュマと呼ばれていたとのこと。この「プュマ」は、先ほどの鳥居龍蔵が紹介した名前です。彼がある村を調査して、その人たちが自分たちをプュマと呼んだので、その地域全部の民族をプュマとして紹介したそうです。その後、民族全体の名称として、「ペイナン」を用い、漢字も卑南という表現を使っているとのことでした。人類学者たちがやった仕事は、帝国の関係性のなかでやっていれば、客観的に正しかったかどうかも、かなり疑ってかかる必要があるということです。

松島　私がグアムの総領事館で働いていた時期（１９９７年〜１９９９年）にあったことですが、現在グアムの首府が置かれている地域の名前は、もともとチャモロ語で「ハガッニャ」と呼ばれていました。しかし、１８９８年に米西戦争後、グアムがアメリカの植民地になって、それをアメリカ人が「アガニャ」と聞きまちがえて、ずっと「アガナ」という名前だった。だから、日本の総領事館も「在アガナ日本総領事館」という名称でした。それに対してチャモロ人が、いや、「アガナ」はもともとの言葉ではないということで、名前を変える法律をつくりました。ですから現在は「在ハガッニャ日本国総領事館」という名称になりました。名前をとり戻すということも、自己決定権、独立にとって重要なことです。

さきほど話題になった上田萬年は、伊波普猷に沖縄、琉球の研究をさせて、金沢庄三郎に朝鮮語をやらせて、金田一京助にアイヌ研究をさせました。そのような研究によって日琉同祖論、日鮮同祖論が学術的に正当化されるようになったわけです。「日本が植民地として支配するのは当然である」という命題は、一見、学問的で客観的装いをしていますが、実はかなり政治的な仕組みができあがっている。遺骨の問題も、帝国が自分たちの領土を広げていく過程で、遺骨を集めて計測して、その植民地支配を正当化する。しかし、結論はあらかじめ決まっていた。同じ系統だけど日本人のほうがお兄さんだという。清野謙次は「大東亜共栄圏」構想を確立するために学問的に貢献しましたが、そのなかで日本人を「指導民族」として位置づけました。

前川　でも先祖は同じだっていうんでしょ。

松島　だから日本が支配するのは正当で、俺たちが指導してやんなきゃいけないという、筋書きがはじめにあるのです（笑）。

（２０１９年９月27日、明石書店）

Ⅳ　独立琉球共和国の憲法問題

――国籍・公用語をめぐって

遠藤正敬×前川喜平×松島泰勝

満洲国の国籍問題

遠藤正敬　琉球独立のためのヒントになるかわからないですけども、満洲国の国籍問題についてお話しします。満洲国は、建前としては、漢族、満洲族、モンゴル人、そして日本人、朝鮮人という、いわゆる五族が「協和」する国として「独立」しました。建国時には全部合わせて３０００万人くらいだったのですが、もちろんそのなかで圧倒的に多いのは漢族です。

中国の満洲地方（現在の東北地方）に住んでいる人びとが民族自決という形で独立したというのが建前ですが、実際は日本が建国しました。１９３２年3月1日です。

そのときに、建国宣言というのを出しました。やがて琉球でもそういうものをつくるかわからないですけども。そのなかにこういう文言があります。今の言葉に置きかえると、満洲国に現在住んでいる漢族、満洲族、モンゴル人、日本人、朝鮮人、これを満洲国人とする、と。それが慣習法的な満洲国の国籍の定義として扱われますが、本来はやはり独立国家としての要件をきちんと整えるには「国民」というものを法的に規定しなければならない。そこで、国籍法もつくろうとしますが、いろいろな問題があって、企画倒れに終わってしまいます。一番大きな問題は何だったかというと、やっぱり日本人の国籍をどうするかということ。

満洲国ができた当時、日本人は12万人弱ぐらいです。まだ開拓民などが行く前です。その頃にいた日本人の中心は、岸信介（渡満は１９３６年）みたいな、満洲国政府に入って、満洲国をコントロール

していく官僚として日本から送りこまれた人たちです。そうなると、満洲国は独立国なのに、政府の中枢にいる日本人は、外国人なのか満洲国人なのか、はっきりしない。（しかし、当たり前のことですが、現地の人から見れば、やっぱり日本人は外国人です。）そこで、関東軍とか、満洲国政府の首脳とかは、だったら日本人の国籍を満洲国国籍に変えさせたほうがいいという判断になるのですが、どのように変えるかという手続きが問題になった。

満洲国に帰化させるか。そうすると、当時日本の国籍法には（今も同様ですが）、自分の意思によって外国の国籍を取る、つまり外国に帰化すると、二重国籍は認められませんから、自動的に日本国籍を失うという規定があります。これを満洲国に当てはめた場合、日本人が満洲国に帰化すると、満洲国の国籍は取れるけども日本の国籍を失う。さすがに日本国籍を失ってまで満洲国で勤めあげる人が出てくるか。そういう条件をつけると誰も行かなくなるのではないかと関東軍や日本政府は懸念し、それが一番大きな問題として最後まで残りました。

また、満洲における日本人は、満洲国ができる前の中華民国時代に獲得した治外法権が認められていました。日本人であれば、領事裁判権をはじめ、課税や警察権などにおいて治外法権が得られますが、それは1937年までも続いていました。建国宣言では満洲国の五族の一員だとしておきながら、治外法権をもっているのはどう考えても外国人です。そういうグレーゾーンにいる日本人の国籍は何とかしなければならない問題だったけれども、今いったように、日本人が満洲国の国籍に変えることに非常に抵抗があって国籍法がつくれなかったのです。ほかにもいろんな要因がありますが、何より日本人がいかに不利益を被らないかという観点から満洲国の法制度ができていたのです。

国籍に関係する例をもう一つあげると、当時は独立国であったら必ず軍隊がある。満洲国もちゃんと軍隊を建国時からつくりました。ただし、それは志願制で、徴兵制ではありません。徴兵制にすると日本人の扱いがむずかしくなるので、志願兵制にしておいた。建国から8年経った1940年に国兵法という法律をようやくつくって徴兵制にする。ところが、日本は満洲国の同盟国だという不可解な理由によって、日本人は満洲国の徴兵制も免除になる。

結局、満洲国の国籍は、実態としてはないけれど、満洲国政府や日本政府がプロパガンダで唱えていたのは、観念的な満洲国国籍というようなことです。ですから、満洲国国籍には何の実質もない。参政権もないし、徴兵もないし、ほんとうに記号でしかない。まあ逆にそういう記号でよかったのでしょう。大事なのは、満洲国に行って日本人が不利益なく暮らせればいいということですから。いかに民族協和といいながらも、日本人中心、自分たちは指導民族だ。指導民族だから優越的な地位も当然であるという扱いになる。

松島泰勝　私たちが京大と裁判で争っている遺骨の問題で、清野謙次という京都帝国大学医学部の教授は、日本がアジア太平洋地域に帝国を広げていくなかで、日本が占領した地域で人骨を集めていきます。弟子もつかいながら、日本の国内外で1400体近くを彼は集めてまわった。こうして集めた人骨をどうするかというと、計測して、いろいろ計算式を使って比較する。その目的は、大東亜共栄圏のなかの指導民族である日本人の優秀性を、とくに頭蓋骨の大きさから明らかにしていく。そのなかに琉球の遺骨もはいっているわけです。

琉球の国籍問題に関連することでいうと、戦後、琉球がアメリカの軍政統治下に置かれたときに、日本政府は「潜在主権」という言葉を使いました。施政権はアメリカ政府がもっているけれども、日本政府は「潜在主権」をもっているというのです。

遠藤　だから、沖縄の人たちの国籍は日本のままでしたね。

松島　日本国籍はまさに観念的なもので、実態的な権利や義務も、日本国政への参政権（1970年の「国政参加選挙」まで）もありませんでした。日本のいわゆる普通の国民が享受しているようなものもないのに、「潜在主権」といっているわけです。この「潜在主権」は、サンフランシスコ平和条約の方向性を実質的に決めた、ダレス米国務長官顧問の発言でしかなく、特定の国際法に根拠をもつ、法的拘束力があるものでもありません。「復帰」前に、日本政府は琉球人を自国の国民として保護することもありませんでした。

「沖縄県」が誕生する、国際法が「沖縄返還協定」です。そのなかで、琉球に対する施政権はアメリカから日本に移すといっていますが、主権にかんする規定が全然ない。尖閣諸島にかんしてもアメリカは日本が主権を有しているとは今でも認めていません。

国が国籍や主権というとき、非常にご都合主義的で観念的なものでしかありません。1879年の琉球併呑後、国籍や主権という言葉は、琉球を、日本人、日本民族中心の体制に組みこむための役割を果たしました。本来、琉球は独自な国でしたが、暴力的に日本に併呑して、日本国籍を琉球人に与え、自らの主権のなかに組みこむ。琉球には琉球独自の主権があるのです。

また、戦後、琉球に対して、日本が潜在主権をもっているといい、そして「復帰」前には日本の領土にするための法的枠組みを用意しました。しかし、主権については沖縄返還協定に明記されていませんので、琉球に対する主権ははたして日本政府にあるのか。私はないと思っています。沖縄返還協定は、日米両政府の協議だけで決められ、琉球人による現地政府である琉球政府は同協定の決定過程から排除されました。また、独立するのか、日本の一部になるのか等、将来の政治的地位を決める住民投票を国連監視下で行なう機会も奪われています。「沖縄県」という、植民地主義的な政治的地位のままでは、日本政府によって米軍基地、自衛隊基地をこれからも永久に押しつけられ、第二の沖縄戦の舞台になる恐れがあります。

琉球人は国際法で保障された自己決定権に基づいて、今後、独立をめぐる住民投票を行なうことができます。近年、太平洋にあるフランスの植民地ニューカレドニアでもこの住民投票が行なわれましたし、ヨーロッパのスコットランド、カタルーニャでも独立を求める住民投票が実施されました。この偽満洲国のありようは、非常に興味深いことです。

遠藤　ちょっと逆説的に考えれば、国籍が観念的であるということはむしろいいことです。国籍と民族が一体化していると考えることが不幸なことで、だから帰化することに抵抗があるというのも、国籍を変えることが民族のアイデンティティを変えるというところに抵抗感があるからです。

今は国籍を生活手段として自由にとらえて、2つも3つももっていてもいいし、変えたいときに変えてもいいし、戻したいときにまた戻せばいいというふうに、便宜的に考えられるような時代になりつつあると思います。しかし日本では、国籍を同じくする者は血を同じくする者であるという、限りなく幻想に近い意識がまだ人びとを縛っている。

日本モデルの国籍制度はなじまない

松島　琉球共和国として独立したときに、国籍はどうするのか。やはり、日本みたいな国には絶対してはいけないと思います。家父長制的な男系を中心とする家族制度に基づいた戸籍、国籍制度から脱するためにも独立したほうがいい。重国籍、いくつかの国籍をもつ人を増やしたらいいという考え方がありますが、まさにこれは琉球にあった考え方です。琉球は戦前、貧しかったので、多くの琉球人が島から出て、ハワイ、南米、東南アジア、ミクロネシアの島々等をはじめとして、世界中に仕事を求めて移住しました。移住した後、琉球に戻らず、移住先の国籍を取得しましたが、いまや2世、3世、4世の琉球人が世界中に住むようになりました。１９９０年から、5年に一度、「世界のウチナーンチュ」が琉球に集まり、交流を行なっています。また、ＷＵＢ（世界ウチナーンチュ・ビジネス・ネットワーク）という組織ができ、ビジネス上の提携関係が具体的に形成されています。現在、世界のウチナーンチュは約50万人いるといわれていますが、その人たちが琉球独立後、島に帰ってきた場合、その出身の国の国籍とまた琉球の国籍を同時にもつことができるようにしたほうが、琉球らしい発展につながるだろうと思います。

琉球王国というのは資源もほとんどない、小国でしたが、約５００年、この東アジア、東南アジアをまたにかけて、「アジアの独立国家」として存在できたのは、まさに人間の力によってでした。マンパワーを上手く活用できた。とくに海洋交易、日本、朝鮮、明、清、東南アジアのいろんな国々との交易、外交が可能になったのは、中国語が話せ、中国語が書けるような華僑の人びとがいたからです。それは、14世紀の終わり頃や17世紀のはじめ頃、明、清から、福建地域を中心とした人びとが琉球に移住してきて、那覇のクニンダ（久米村）と呼ばれる村に定住しました。彼らが外交、交易、文書の管理などの力を発揮するわけです。そういうふうに外からきた人びとを上手く活用してきたから、琉球は小国でありながら、政治経済的にも安定した状態を長く続けることができました。クニンダの人びとはその後、琉球人社会に融合し、中国系琉球人として、今も中国の出身地毎に宗族のつながりを大切にして、相互扶助の活動をしています。

現在、琉球料理として有名になっている「タコライス」も、南米帰りの琉球人によって考案されたものです。ペルーの琉球人3世の、アルベルト城間を中心に結成されたディアマンテスも琉球のミュージックシーンに大きな影響力を与えています。

そういう琉球の歴史を考えると、人の力が独立後も非常に大きな発展の源泉になると思います。そういった意味でも、いわゆる「単一民族国家論」みたいな国民のとらえ方ではなくて、多様な民族が共存し、重国籍も認める、懐の深い国の在り方こそ、琉球らしいのではないでしょうか。日琉同祖論に基づく琉球人の日本人への同化政策によっては、琉球が本来有する可能性がずいぶん損なわれてしまうでしょう。むしろ、日本政府は、琉球人が独自な存在であり、独立国を形成し発展する可能性を持っていることを知っているから、あえて、その可能性を封じ込めるために同化政策を戦前から行ない続けているとさえいえます。

「単一の国籍とか民族」という枠組みに琉球、琉球人を封じこめる、固定化するのではなく、そういった壁を超えて、差別がない、「ボーダレスの国」になったほうがいいと思います。近代国民国家を超えた、新たな国の形を琉球独立が提示することになります。

独立の是非を問う住民投票の主体は誰なのか。これは今、琉球でいろいろ議論が行なわれています。琉球では、私たちは先住民族だという運動が1996年から20年以上、現在まで続いています。その結果、国連の各種委員会は、琉球人は先住民族であり、その人権を認めるよう、日本政府に対して勧告を何回か出しています。先住民族は、先住権、自己決定権をもっていますので、それに基づいて、独立の是非を問う住民投票を行なうことができます。

自己決定権による、独立を問う住民投票を進めてきたのがグアムです。グアムは、国連で植民地として認められており、グアム政府内に脱植民地化委員会というのがあります。そのなかで、将来の政治的地位として、完全独立、自由連合国、またはハワイのような米国の州になるという、三つの選択肢があって、住民投票の準備をしています。先住民族のチャモロ人が有する自己決定権に基づく住民投票を実施しようと、投票のための有権者登録も行なわれていたところ、アメリカ本土から移住してきた白人がチャモロ人だけに投票権を与えるというのは、アメリカ連邦憲法の法の下の平等原則に反していると訴えて、それが裁判所に認められました。ということで、チャモロ人を主体とする住民投票は、現在、ストップしている状態なんです。

2014年9月18日に、スコットランドで独立を問う住民投票が行なわれたときに、私は現地に行きました。スコットランド人（スコッツとも呼ばれる）は、「白人」だけではなくて、アフリカ、東欧など諸外国からスコットランドに移住した人々もスコッツであるとして、認識されていました。出自はなんであれ、有権者登録をした16歳以上の、イギリス、英連邦、ＥＵ加盟国の国籍をもつスコットランド在住の人、約４３０万人が投票を行ないました。反対票が55％となり、僅差で独立は否決されました。しかし、現在、イギリス政府がＥＵから離脱することに対して、スコットランドでは反対する人が多く、もう一度、独立を問う住民投票が準備されています。スコットランド政府のニコラ・スタージョン首相は、イギリスからの独立を強く主張しています。

将来、琉球で独立を問う住民投票を行なうとき、その有権者は、琉球の島々に住んでいる人だけでなく、海外に住んでいる「世界のウチナーンチュ」も含めるべきではないでしょうか。

住民投票にいくまでにはいくつかの過程があります。まずは、国連の脱植民地化特別委員会のなかの「非自治地域リスト」に、琉球を登録させるというのが第一段階です。じつは5年ほど前にフランス領ポリネシアという、太平洋にあるフランスの植民地ですけども、そこが登録されました。登録されるときにフランス領ポリネシアの議会がポリネシアは植民地だ、独立すべきだと主張し、「非自治地域リスト」への登録を決議しました。その後、その声を国連に届けて、ロビー活動をして、国連がその登録を認めたわけです。これを琉球に当てはめると、まずは沖縄県議会で独立の是非を問う住民投票をすべきだという意見をまとめ、「非自治地域リスト」に琉球（沖縄県）を登録させる決議案を採択する必要があります。現状では、議会でこのような議論が行なわれるまでにはいたっていません。

かつては琉球独立というと、居酒屋独立論と揶揄された時期が長くあったわけです。琉球独立とは非現実的な話であって、酒がはいって気が大きくなったときに盛りあがったときにしか、言えない主張であると批判されてきました。そこで、せいぜい自治領、自治州または、日本のなかで特別な県政をもつほうが現実的であって、それを目指そうじゃないかというのが一つの大きな流れとしてありました。実際、日本全体で「道州制」の議論が盛んなときに、沖縄県単独の道州制を目指すべきだとして、政界、経済界、労働界、学者たちなど、幅広い層で議論が行なわれ、一つの報告書にまとめられて、沖縄県庁に提出されたこともありました。しかし、その提案はまったく動かなかった。なぜかというと、「道州制」という制度は、日本全体の政治体制の変革を必要としており、沖縄県だけが道州制をやりたいと主張しても、実現できないものなのです。日本政府は琉球に基地を押しつけたいわけですから、琉球に自治権を認めて、基地を削減・撤去させたくないのでしょう。ですから、米軍基地を琉球から撤去するためにも、道州制ではなく、独立をちゃんと見据えた議論をすべきだという状況が広がってきている。たとえ他の都道府県が反対したとしても、国際法、国連、独立を支援する世界諸国の力を借りれば、琉球単独で独立を実現することができます。特に辺野古の問題、オスプレイの問題に顕著に見られるように、日本政府が琉球人の民意を無視して、それらを一方的に押しつけるという状況が積み重なると、独立しかない、独立を具体的に考えざるをえなくなるのです。しかも、世界を見たら、独立したほうが、諸困難を乗り越えて、平和でしかも発展する可能性も数多くあるのです。それは戦後、国連加盟国数が5倍に増えて、現在200国以上になったことからも、明らかです。国という枠組みによって、日本の植民地支配から脱することができるのです。

遠藤　琉球独立における住民投票の主体の話ですが、通常の住民投票のように、松島さんの言葉でいえば琉球に住民票がある人を「琉球住民」とするのか、あるいは琉球に本籍があるだけの人もその主体に含めるのか、どうですか。

松島　そうですね。今年（２０１９年）の2月24日に辺野古の新米軍基地建設の是非を問う県民投票が行なわれました。これは沖縄県条例に基づいており、日本の国内法の枠組みによるものです。それに対して、政府の菅官房長官は投票前から、「県民投票がどのような結果であろうと新基地建設はすすめる」などと言って、投票結果を無視する姿勢を明らかにしていました。つまり国内法の枠組みだと、住民投票をしても、日本政府が認めないといえばそれで終わりというか、効力がありません。やはり国際法のなかで位置づけて、国連の監視下でやるという状態の住民投票でないと、日本によって植民地支配されている琉球の場合は、現実を変えるにはきびしい。

そこでの投票資格ですが、「本籍をもっている人」「住民票をもっている人」、という要件ですと、たしかに住民投票を行ないやすい。しかし、そういった日本国内の制度に基づいた形で住民投票を進めると、先の「県民投票」のように、日本政府が、その結果を拒否して、投票結果を踏まえた、現状の変革が実現しない恐れが大きい。また「住民票」や「本籍」からもれる世界のウチナーンチュのような琉球人がいます。

これは私の案ですが、まずは先住民族の自己決定権という運動が大きくなりつつありますので、「先住民族による投票」の実施を目指す。そこで、先住民族とは誰なのかということが問題になります。国際法では、明確な定義はありません。ただ、ＩＬＯ１６９号条約という国際法において、植民地で生きている人びとが自分は先住民族であると自覚する、先住民族としてのアイデンティティをもつということが重要であると記載されている。それは、現在、世界の多くの先住民族が同意できる、自らの属性を概念化するときに有効であると考えるものです。つまり、たとえば琉球の言葉が話せるとか、三線がひけるとか、皮膚の色、顔立ち等、他者が見てわかるような指標や基準で先住民族を規定するのではなくて、先住民族自ら自分は何者なのかを問い、発信し、行動する、それが重要だというふうに、世界の先住民族は考えています。そうなるとますます定義は曖昧になりそうですが、そうした議論を通じて投票の主体は誰なのかを考える。スコットランドのように、そこに住んでいる人びととすれば、有権者数は広がるわけですけれども、琉球人が自らのアイデンティティをふまえた形で、独立を問う住民投票を行うことは、琉球の歴史上でもなかったことですので、大変重要な歴史的な試みになろうかと思います。そうすると「住民票」や「本籍」をもたない世界のウチナーンチュ（日本本土を含む世界各地に住む琉球人）も投票することができます。

住民票を投票要件にすると、日本政府、右翼勢力等が沖縄県への住民票移動を日本国民に呼びかけて、独立反対の票数を増やそうとするでしょう。琉球独立とは、１８７９年の琉球併呑によって国を滅ぼされた琉球民族の自己決定権に関わる問題です。投票主体は、琉球人ということになりますが、「有権者としての琉球人」を決める際に参考になるのがグアムの事例です。１８９８年にアメリカの植民地になったグアムの住民は長い間、米市民権が与えられないままでしたが、権利回復運動の結果、１９５０年の「グアム組織法」によって初めて住民に市民権が与えられました。その時の住民のほとんどはチャモロ人という先住民族でした。現在準備されている独立を問う住民投票では、１９５０年以前にグアムに住んでいた人、またその子孫としており、結果的にチャモロ人を投票主体にしました。

グアムの例にならい、琉球人を先住民族として客観的に分類する方法として、１８７９年の琉球併呑前に琉球に住んでいた人の子孫を投票主体にするというものが考えられます。併呑以降、形式的に琉球人に国籍、戸籍が与えられましたので、書類上、琉球人であることを確認することができます。沖縄戦によって公的書類の多くが焼却されましたが、戦後作成された戸籍、家譜（家系図）によって、琉球併呑以前の琉球居住を確かめることは可能です。また、投票主体を決める方法として、第3の琉球併呑ともいわれている「日本復帰」の年、1972年以前に琉球に生まれた人、またはその子孫でもいいのではないでしょうか。ようするに、琉球が日本の植民地になった1879年、または1972年の「日本復帰」以前に琉球で生まれた人、その子孫は、自らを琉球先住民族として自覚する可能性が大きいので、ILO169号条約の「先住民族の要件」に当てはまり、国際法下による住民投票を行なうことできるのです。これらの人びとが有権者登録を行ない、独立を問う住民投票を実施する。独立を決定する民族自決権に基づく住民投票は、琉球人の有権者で行ないますが、独立後の琉球共和国に住むさまざまな民族は国民として平等な権利をもちます。「主権確立（独立）」「主権行使（独立後）」という二段階に分けて、その主体のあり方を考える必要があります。

まずは、琉球人という先住民族の自己決定権に基づく住民投票を行なうという、その動きを踏まえた投票資格について私は考えたいと思います。なぜなら、いま、琉球では自己決定権という言葉がキーワードになっているからです。とくに2009年頃から、鳩山由起夫さんが総理大臣になって、米軍基地の県外移設を進めましたが、多くの日本国民によって拒否されました。それに対して、「沖縄差別」という言葉が一般の琉球人のなかから出てきた。これまでは日本人、また日本国民、日本政府に、苦境を訴えれば、過重な負担を軽減してくれると思っていましたが、実際は、そうではないということがわかった。であれば、自分たちで解決するしかないと考え、辺野古の基地建設問題を含む、日本による琉球の植民地支配から解放されるために、国際法で保障された自己決定権を主張するようになったのです。そういった運動の一つの流れとして、独立運動、住民投票を位置づけることができると思います。

遠藤　その自己決定権の「自己」というのは、「琉球人」ということになると思いますが、それは今、琉球に定住している人？　あるいは琉球出身だけど今は県外に本拠を置いてる人もいますね。

松島　琉球では、ディアスポラといって、本来は琉球に住んでいるはずだけども、いろんな事情で日本各地、あるいは海外での生活を余儀なくされた人びとが多い。

遠藤　ブラジルとか。

松島　ええ、ブラジルとか。このような世界のウチナーンチュにも、独立を問う住民投票では、投票権を与えるべきだという意見は多いと思います。たとえばパラオの場合がそうです。パラオの大統領選挙、国会議員選挙では、パラオ島内に住んでいるパラオ人だけではなく、ハワイ、グアム、米本土に住んでるパラオ人にも投票権があります。パラオが1994年に独立する際に、アメリカと自由連合盟約という協定を結び、パラオ人は就学、就業を目的にして自由にアメリカに移住することができるようになり、数千人規模のパラオ人がアメリカ各地に住んでいます。島社会では、島から出ざるをえないような状況が歴史的にあったたし、今でもあります。太平洋のトンガ、サモア独立国、ツバル、クック諸島等の島嶼国出身者の多くがニュージーランドやオーストラリアに住んでいます。であれば「島人（しまんちゅ）」というのをもっと広く考えて、そこに住んでる島の人間のほかにも、島から出て他所に住んでいる島出身者にも広げてもいいと思います。「琉球人」とは、人種概念ではなくて民族概念ですから、自分は琉球人であるという意識をもっている人であれば、琉球人として考えていいのではないかと思います。多様な島人、琉球人をどんどん増やしていくという考え方です。

遠藤　では、独立したら、仮定の話ですけど、琉球国ができると琉球国民というものが生まれるわけですね。そこで法律的にそれを定義しなくてはいけない。

松島　国民とはある国の国籍をもつ人をいいます。よって琉球国民は、琉球の国籍をもつ人ということになります。国籍取得には「出生地主義」と「血統主義」がありますが、琉球共和国では、双方を可能とします。後者は「父母両系血統主義」にして、父母どちらかが琉球国籍であれば、その子どもも国籍を得られるようにします。それとともに、世界のウチナーンチュも琉球共和国の国籍を得ることができるように、優先的に重国籍を認めるでしょう。その他、琉球共和国の政治経済、社会の発展に大きな貢献が期待されるような世界のかたがたにも、重国籍が認められるのではないでしょうか。さらに琉球共和国の国籍を取得したいと希望する人がいれば、その人の人権状況（政治難民、環境難民等）などを勘案して、その手続きを容易にします。独立国ですので、国籍は存在しますが、琉球共和国の国民になる壁をできるだけ低くします。非武装中立の琉球共和国の存立条件は、かつての琉球王国のように資源ではなく、「ひと」になります。「ひと」の力によって政治経済的、社会的に発展し、世界とのネットワークを緊密にして、平和な島になることができます。

いまの日本みたいに国籍、戸籍で、「日本人」として縛りつけるようなものではなく、もっと人間を解放するような国籍のあり方が琉球らしい。家族主義によらない国籍は琉球だからこそ可能ではないかと思っています。たとえば関西でも、大阪、尼崎、滋賀、奈良など、今でもたくさんの琉球人が住んでいます。特に大阪の大正区は多いです。琉球のような、ネットワーク型の人間関係の社会にちゃんと配慮した、国籍制度をつくるべきだと思います。縛りつけるのではなく、出たければ出てもいいし、はいりたければはいってもいい。性的多様性にも配慮して、ＬＧＢＴの人も、ちゃんとその権利が守られる社会にしたらいい。そういった差別のないような国籍制度がいいと思います。それが琉球的なものです。琉球に多様な考え方をもつ人びとが集まり、新たなものが自由に創造され、経済的にも発展する可能性が広がるのではないでしょうか。

遠藤　憲法をつくりますよね。憲法に書くんですか？　琉球人とはこれこれこういう人たちを指すみたいな。

松島　「復帰」後の琉球独立運動において大きな足跡を残された詩人の高良勉さんが、１９８１年に「琉球ネシアン・ひとり独立宣言」（高良勉『琉球弧――詩・思想・状況』海風社、１９８８年に所収）を発表しました。この宣言は、「琉球ネシア共和国連邦」の草案という性格ももっています。同宣言には次のような記述があります。なお「ネシア」とは「島々」を、「ネシアン」とは「島人」を意味します。「琉球ネシアンは、琉球人を主体にするが、出身国や血統は問題にしない。私たちの同胞は、すでに『移民』という形で、ハワイや日本、南米諸国に国境を越えて散らばっている。この同胞たちには、ぜひとも共和国連邦に参加して下さるよう、呼びかけなければならない。また、朝鮮人やアメリカ人、大和人であれ、その他のいかなる人種の人々であれ、共和国連邦の理念を支持する人々は琉球ネシアンとしての参加を歓迎する。ただし、大和人だけは、特にきびしい自己革命が問われるだろう。なぜなら、琉球ネシアンになるためには、無意識のうちに自己にまとわりついている民族主義と侵略主義の血糊の付いた感性を革命し、日本帝国の亡国を承諾しなければならないからだ」。

このように琉球共和国は世界の民族にひろく開かれますが、1879年以降、さらにさかのぼって1609年以降、琉球を植民地支配してきた大和人（日本人）が琉球国民になる場合、日本と琉球との不平等な関係性を清算してほしいという気持ちはあります。独立後、日本の大企業や日本人ビジネスマンが大挙して琉球に進出して、経済支配を進めて利益を日本国に還流すると、「新植民地主義」という新たな問題が起こりかねません。琉球共和国は貿易や投資も世界に向けて開放すると思いますが、経済的侵略が顕著になるようでしたら、特定の企業や人の流入に制限を設けて、琉球国の「国益」を守るということは予想されます。先ほど、遠藤さんが話された「満洲国」のように、「五族協和」といいながら、日本人を「指導民族」として位置づけるような国籍にしてはいけません。また琉球共和国でマジョリティになる琉球人だけが治外法権などの特権をもつ、「指導民族」のような存在にならないように気をつける必要があります。「満洲国」の植民地主義を批判しながら、琉球共和国の憲法を構想しなければなりません。

このような懸念はありますが、ともかく私が憲法草案を書くならば、開かれた国民（または人民）概念を踏まえて、私が先程述べた「琉球国民」のあり方を琉球共和国の憲法に明記します。従来の「閉鎖的で、排外主義的な国民」とは異なる、「開放的で、友好的な国民（人民）」であることを世界にアピールできればと思います。

ルーツはいろいろあっていい

前川喜平　今日の話の中心は国籍っていう話なのかもしれないけれど、まず、独立を決める住民投票は誰がするのか、その主体は誰になるのか。結局その主体が、この琉球共和国国民のオリジナルな国民になるのかなという気がします。そもそも、松島さんがいったように、先住民族というアイデンティティからはじまるとすると、一つの枠が最初はあるのでしょう。それは、3代前から琉球生まれとか、5代前から琉球生まれとか、そういうことなのか、それとも、私は琉球人だと思った人はみんな琉球人だというふうに主観的なアイデンティティで決めていいということにするのか、その辺りはむずかしいなという気はします。

私だっていざとなったら琉球国に亡命して琉球人になりたいと思ってますから（笑）。この日本がもうどうしようもない国になったときには、そのときには私も琉球人にしてほしいと思うわけです（笑）。だけど、あなたはまだ新参者だから住民投票には参加できないといわれるかもしれない。スコットランドのように誰でもどんな人種であろうと、そのルーツがなんであろうと、自分はスコッツだと思っていればスコッツだというふうにするのか。そこはむずかしいなという気は正直しますが……。その辺は、折り合いをつけながらやるしかないのかな。

はじめは民族として琉球人だという気持ちをもっている人が核になるだろう、そういう気がします。けれども、それは、琉球列島に今住んでいるとは限らないだろうと思います。今は琉球国という国はないわけだから、琉球民族の人たちは、琉球国以外の国籍をもっているわけです。多くの人は日本国籍をもっているけれども、日本国籍をもっていない人もいるだろう。あるいは、日本は二重国籍を認めてないけど、二重国籍を認めている国の国籍をもっていれば、日本国籍と他の国の国籍と両方もっている人もいるかもしれない。そのなかで、自分は琉球が独立するときに琉球国民になりたいと思う人が当事者になるのかなという気がする。

ただ、琉球独立のための住民投票をしたいと思う人この指止まれとやったときに、今の沖縄県民の人たちがみんなそこに止まるかというと、そうでもないのかなという気はします。そもそもこの前の辺野古埋め立ての是非を問う県民投票にもボイコット運動がありました。住民投票に参加するなと、そういう動きが琉球独立を問う住民投票の際にも出てくる可能性はあると思います。

しかし、国際法上の国家として独立した暁においては、今うかがったようにできるだけ開放的な国にしていく、これは望ましいだろうなと私も思います。国籍にかんしてもできるだけ多様な人が琉球国民になれるように、何々系琉球人（国民）というような、私だったら、やまとぅんちゅ系・日本系琉球国民とか。仲井眞元知事のご先祖はもともと中国から来た人たちですか。

松島　そうです、中国系です。

前川　ルーツはいろいろあっていい、しかし、同じ琉球共和国の国民になれるという国づくりという考え方がいいと思います。日本の国籍制度は、血統主義、とにかくご先祖様が日本人であるから日本人になるという考え方。しかもそれ、戦後ながいあいだ、父親が日本人でないといけないという考え方でした。天皇を天皇家の男系男子が継いでいくのと同じ考え方が、国籍の考え方だったわけです。

そのために沖縄のアメラジアンの子どもたちで国籍のない子だもたちがいた。日本国憲法の下でああいうことが起こっていたということは非常に許しがたいことです。やっと母親が日本人でも日本の国籍をもてるようになったのは、戦後40年近くたった1984年のことです。そもそも出生地主義を併用していれば、アメラジアンの子どもたちの無国籍問題などはまったく起こらなかったわけです。

私は将来、琉球が独立して、琉球連邦共和国になったときに、国籍にかんしては、血統主義と出生地主義と両方認めたらいいと思います。琉球人の子孫はどこに住んでいようと琉球国民として認めます。二重国籍も認めます。それから、どこから来た人でも琉球で生まれた人はみんな琉球国民になれますと。それから、帰化という言葉がいい言葉かわかりませんが、琉球国民になりたいという人については できるだけ緩い基準で、琉球国民の要件を認めていくという、そういう開放的な国籍のあり方がいいんじゃないかな。

明治以来つくられた、血でつながった国民という観念、これは今でも続いていると思いますが、琉球が日本の国籍制度にみられるような、日本単一民族主義みたいなものになってはいけないと思います。核になる琉球人という民族性はもちつつ、開かれた形、そういう開かれた国民性が望ましいんだろうと思います。

出会えばきょうだい

松島　琉球人とはなんなのか。なぜ私は「沖縄」とはいわずに「琉球」という言葉、名称を使うのか。

「沖縄」という言葉は、これは今は漢字ですが、ひらがなの「おきなわ」という言葉が初めて登場した文献は『平家物語』といわれています。漢字の「沖縄」が出てきたのは新井白石の『南島志』といわれています。ですからこの「沖縄」という言葉が出てくるのは「日本」の文献です。1879年に明治政府が軍事力を使って琉球を併呑して植民地にしましたが、そのときも、「琉球県」ではなく、「沖縄県」という名称にしたのは日本政府です。「沖縄」という言葉にはやはり日本の一部である、日本に服属するという政治的意思がすりこまれており、それが現在も継承されていると考えています。日本とは独立、自立した歴史もあり文化もあるという意味で、「琉球」という言葉を使っています。

私は石垣島の出身ですが、石垣島、宮古島といった、沖縄島から離れた島の人が沖縄島に行くときには「沖縄に行く」といういい方をするわけです。ですから、自らが生まれた石垣島が沖縄県の一部ではあるということはわかりますが、やはり自分のアイデンティティを考えると、石垣島は独自な歴史や文化、政治経済的状況があり、「沖縄」に収斂される場所ではありません。

「沖縄本島」といういい方にも、植民地主義的な名残があります。沖縄島は、県庁、国の機関、米軍基地等がありますが、「本島」という中心ではありません。50近い有人島のうちの一つの島なんだという意識をもっています。島の面積や人口は小さくても大きくても関係なく、自分たちの独自の歴史と文化を培ってきたという誇りがあります。琉球列島は多様な、個性ある島々からなるということです。よってそこに住む人びとも多様であり、先ほどいったように、戸籍や国籍で固定化されない地域的特性を持っているのです。

琉球独立にかんしても、たとえば、那覇市、浦添市という都心部の人の考える琉球独立のイメージと、宮古島や西表島に住む人が考える琉球独立のイメージはちがうでしょう。西表島在住の石垣金星さんという人がいますが、彼は、西表島は島の90％以上が森、大自然であり、「大自然こそ大産業」であるといっています。有機農業、伝統的な染織業、エコツーリズムなど、島の豊かな自然を活かした経済、生活を実践しながら、琉球独立を主張しています。石垣さんは、明日からでも日本から独立できる、補助金など一切いらない、島で全部賄えるという自信があります。補助金は中央政府が島を縛りつける鎖でしかないという感覚があります。

首里、那覇のような都会部の人は、やっぱりある程度のお金がないと生活できないと考えるでしょう。いろんな開発が必要であると。貨幣が流通しないと動かない社会経済体制が形成されています。もちろん、西表島でも貨幣は不可欠ですが、貨幣以外の自然、人と人との絆も社会生活で大きな役割を果たしています。琉球という豊かな島々、多様な島々において、多様な独立のイメージがあるということをまず知っていただきたいなと思います。

文化人類学などの世界では、奄美諸島は琉球文化圏に属していることになっています。ところが、奄美諸島は、歴史的には、琉球王国に侵略されて、そのあと1609年以降は島津藩の直轄領になって搾取されて、奴隷制度もつくられました。北から南から支配搾取されてきたという、過酷な歴史があります。沖縄・琉球の有名な歌手、喜納昌吉さん、彼は独立論者でもありますが、彼が奄美大島に行って、奄美の人びとに一緒に独立しようといったとき、すごい反発、抵抗があったと、奄美大島の方から聞きました。首里王府によって徳之島も喜界島も侵略された歴史があって、第二次世界大戦後も奄美諸島の人びとは「非琉球人」として扱われて、実際差別も受けてきた。そういう歴史的事実を抜きに、琉球文化圏にいるから一緒に独立運動をといわれてもできないと、それはおかしい、やるんだったら自分たちだけでやるという。こういった「一島独立」といいますか、琉球のそれぞれの島の人びとが自分たちで自己決定権を行使して独立していくという意思を尊重することが琉球独立の場合には必要だと思っています。

戦後、ミクロネシア諸島を信託統治領として支配していたアメリカは、将来の独立像として「ミクロネシア連邦」という、信託統治領全体が一つの国になることを求めていました。しかし、現在、パラオ、マーシャル諸島、ミクロネシア連邦、北マリアナ諸島はそれぞれで住民投票を行い、各個独自な道を選択しました。パラオの人口は独立時、約1万5千人でした。

琉球でも一族を血で縛るような制度が伝統的にありましたし、今でも残っています。門中（もんちゅう）制度は、17世紀はじめぐらいに中国から琉球に伝えられた家族制度で、男系、長男を中心に家のいわゆる位牌や財産が継承されていくというものです。女性と男性のあいだの不平等な関係性を象徴するのが洗骨という儀礼です。琉球では人が亡くなると、ある期間、遺体を置いて、肉が少なくなったときに、骨をきれいに洗ってから厨子甕に入れてお墓で風葬する習慣があります。その肉を骨から落とす作業は伝統的に女性の仕事でした。しかし戦前、なんで女性にこういった仕事を押しつけるんだという反対運動が巻きおこりました。また、「復帰」後、１９８０年代はトートーメー論争がおきました。トートーメーっていうのは位牌ですが、位牌だけではなくて、その家の財産も長男、男性が継承するという、門中制度に付随する慣習があった。そんなしきたりは女性差別ではないかということで裁判にもなったわけです。このような、家父長制的な家族制度は琉球にもありましたし、今でも残っている。

しかし、独立論者のなかにおいて、家父長制的な門中制度をもとに新たな戸籍や国籍をつくろうという考えは聞いたことがありません。琉球独立は、人民の自己決定権に基づくものであり、女性差別の打破もその目標として掲げられるべきです。

先ほど私が言ったように多様な社会を形成するために、柔らかい、誰でもが琉球にはいってこられる社会が望ましい。琉球の人口増加は出生率の高さが、その要因の一つですが、もう一つは社会的な移動です。琉球にやってくる人びと、日本人だけではなくて、台湾人、中国人、またいろいろ、南米から琉球人2世3世もやってくるように、社会的な移動が活発です。住みやすい、人間関係において上下の関係よりも横の関係を重んじます。「イチャリバチョーデー」、出会えばきょうだいという、そういった言葉があります。

前川　とてもいい言葉ですね。

松島　そうですね。そういった言葉もあるように横のつながりを重視する社会で、琉球に来ていっしょに平和をつくり、経済を発展させたいという、そういった人を受け入れるような国籍制度にしたらいいと思います。琉球人の自己決定権に基づいて独立しますが、独立後は、「単一民族国家」になるのではなく、さまざまな民族が「兄弟姉妹」のように平等に生活する国づくりが望ましいと考えます。独立の過程で、「琉球民族」という民族概念も大きく変わってくるかもしれません。「出生地主義」「血統主義」を越えた、スコッツのような、新たな琉球民族が生まれてくるかもしれません。

島々の伝統をつなぐ独立のかたち

松島　私自身が琉球独立についてリアリティをもって考えたのが、今から20年前にミクロネシアの島々での生活のなかでした。アメリカの植民地であるグアムに2年間住んでいて、そのあとにパラオ（国家として位置づけられていて国連でも一票をもっている国です）にまた1年間住んで、植民地の状態と、独立したらこんなふうになるんだという状態を、島の生活のなかから見ることができて、独立を自分の体を通して考えることができました。たしかにグアムの経済水準は、パラオよりもずっと豊かなように見えますけども、グアムの先住民族であるチャモロ人は、1898年までスペインに植民地支配されていて、米西戦争によってアメリカがスペインに勝ってそれ以降アメリカの植民地になりました。戦前は主にアメリカ海軍が軍事統治を、戦後になるとアメリカの内務省が統治を行なっていました。1950年まで市民権が与えられなかった。アメリカの国民ともいえない、市民ともいえない人間として扱われました。ようやく市民権を与えられたのは1950年です。しかしながら、それ以降も現在まで、グアムの人びとにはアメリカ大統領を選ぶ投票権が与えられていません。

前川　あ、そうなんですか。

松島　はい、アメリカ国民は、アメリカ大統領選挙では選挙人を選ぶ直接投票ができますが、グアムは除くとなっています。あと、グアムはアメリカ連邦下院議会に1人代表を送っていますが、その代表は議場において発言はできますが、投票は今でもできない。アメリカは民主主義国家だと自らを誇っていますが、実態的にこういった差別、不平等な状況におかれている島があるのです。それがグアムです。

私もグアムに行く前に知識として知っていましたが、実際に行くと、やはりここは植民地だなと思ったのです。私が住んでいたころ、20年前のグアムでは、連邦政府は財政赤字削減のために、米国内にある米軍基地は減らしていこうとしていました。グアムの米軍基地はそういった連邦政府の考え方に基づいて、一方的に減らされていったわけです。ところが、その後、9・11テロが起きました。それ以降また基地を増やしていこうということになった。グアム全面積の3分の1は米軍基地ですが、それを減らしたり増やしたりという決定権はグアムの人にはないのです。一方的に外から、連邦政府、または連邦議会が決めてしまう。グアム政府とかグアム議会の権限がおよばないようないろいろな決定を、アメリカ本土の政府が決めてしまうという状況は、まさに植民地そのものです。

国連には脱植民地化特別委員会というのがあります。現在世界中に17の非自治地域、つまり植民地があると国連は認めています。そのなかにグアムがはいっています。グアムにはもちろん独立運動があります（私が住んでいたころにも、もちろん現在でも）。グアムで、自己決定権を行使できない、植民地としての島の生活を体験して、その後パラオに行ったわけです。

パラオの人口は現在2万人弱、私が生まれた石垣島の半分以下ですが、近代的な三権分立、立法、行政、司法がちゃんとあり、大統領もいます。パラオ共和国憲法という独自な憲法をつくっています。この憲法はアメリカの連邦憲法をモデルにしていますが、それにプラスして、パラオ独自の土地制度、首長制度、慣習法等を憲法に書きこみました。パラオには共有地制が今でも多くあり、伝統的な慣習法に基づく首長制もあります。そういった伝統法、慣習法を憲法のなかにちゃんと書きこんでいます。パラオは独立して国家になりましたが、いわゆる欧米型の国民国家ではなくて、パラオ独自の国づくりをしているということが生活のなかからわかりました。

パラオは独立国家とはいっても、いわゆる完全な独立国家ではなくて、自由連合国という名前の国です。外交権、内政権はもっていますが、防衛権はありません。防衛権は今でもアメリカ合衆国がもっています。ですからアメリカ合衆国はパラオの防衛権を行使して、たとえば米軍基地を増やそうと思えば増やせるはずですが、それはできない。なぜかというと、パラオには大統領がいて、大統領はいろいろと注文をつけて、そういったことはさせない。ですから、沖縄にあるような広大な米軍基地はありません。独立すれば、たとえ他国が防衛権をもっていたとしてもそれを行使させないようなこともできる。

人口が2万人の小さな国でも国として存在できて、それを国際社会は認めていて、国連でも活動ができることを実際体験してみることで、「独立」がリアリティをもって感じられるようになりました。そこから私自身、独立について、調べるようになったのです。

私は「島の経済」をこれまで研究してきましたが、島は、領土、土地が海の上に分散しています。ですから、あるひとつの場所を支配すればそれで植民地支配が完結するというものではなくて、逆にいえば、その分散された土地を拠点にして、いろいろな戦い、自治的な戦いを積み重ねることで独立につなげていくことができる。独立後の姿として新しいこれまでにない国のあり方が可能だろうと思います。とくに太平洋の島には、それが実現している島も少なからずあるわけです。経済は資本主義の制度に基づく国とはいっても、共有地制があって、慣習法も生かし、人の横のつながりが強く短期的な経済利益よりも自然環境を重んじており、資本主義とはいいきれない部分を含んだような国が多い。琉球も、独立後そういった国になるだろうと考えております。

ミクロネシアの島々、パラオ、ミクロネシア連邦、マーシャル諸島、または北マリアナ諸島は、戦前、日本の委任統治領でした。戦後はアメリカの信託統治領になります。信託統治領というのは、将来は独立するのかどうするのかを、国連監視下の住民投票で決めることができます。最初、アメリカ政府は、それぞれ小さい島々だから、ミクロネシア全体で一つの国をつくったらいいだろう、「ミクロネシア連邦」という名前をつけたらいいだろうと投げかけたわけです。しかしマーシャルの人びと、パラオの人びと、北マリアナ諸島の人びとはこれに反対しました。自分たちは言葉もちがう、それぞれのアイデンティティがあり、経済的発展の可能性もあると主張して、アメリカの提案を蹴りました。パラオはそのときの人口は約1万5千人でしたが、自分たちで住民投票して独立すると決意して、実行し、独立することができました。パラオの人びとは、それが結果的によかったという人が多い。

人口数や面積を基にする独立投票ではなくて、その島の共通する文化や歴史をもった人びとが国連の監視下、国連が見守るなかで住民投票をすることによって自己決定権を行使して、政治的地位を平和的に選ぶ、琉球はこういったことをすべきだと思っています。

実際、これまでこういった機会がなかったのです。サンフランシスコ平和条約の第3条で、将来は信託統治領にする、その間アメリカが統治するという将来の約束があったけれども、結果的に実現しないままに「復帰」ということになった。本来は信託統治領にして、国連の監視下で住民の投票を行なって、自分たちで選ぶべきでした。復帰運動の中身自体も、今問われています。それは日琉同祖論という琉球人の同化思想を基盤にしており、日本に期待し、依存するような心性を琉球人にもたらしたのではなかったのか。「復帰」とは、「元の状態に戻ること」を意味しています。しかし、琉球の元の状態は日本ではなく、琉球国なのです。「復帰」すべきだったのか、米軍基地を押しつけ、琉球列島に自衛隊のミサイル基地を建設して「第二の沖縄戦」を準備するようなこんな日本に帰るべきではなかったという人が増えています。「日本復帰」ではなく、「琉球復帰」すべきでした。王制ではなく、共和制の、新たな国として生まれ変わることは今からでもできると考えています。

自民族中心主義からの離脱

前川　日本人のなかに、日本人というのは血でつながった共同体だという強い観念がある。それはこれからの日本の社会に、とっても危ないことだと思っています。血のつながらない人はもうどこまでいってもよそ者だというので排除する。在日外国人に対する、たとえば地方参政権の議論だって、絶対駄目だという強固な反対論が保守系の人たちのあいだにある。

教育勅語に出てくる国体観念が根強くのこっているとしか思えません。国体とはそもそも、天皇と国民との結びつきがまず最初になければいけない。天皇は男系男子です。最初だけは、女性の神様、天照大神ですが……。瓊瓊杵尊（ににぎのみこと）からあとは男系男子で、それでつながってくるという男系男子の血統でつながった血縁共同体という観念です。教育勅語のなかに出てくる国体という言葉は、まず神様からはじまるという神話的国家観もあり、しかもその神様からつながる男系男子でつながってきた血統で日本国民全体がつながっているという。天皇家は総本家、ほかの家は全部その分家だという考え方です。そのように全部親戚だ、血でつながっている血縁共同体だという疑似血縁共同体です。臣民はすべて天皇の赤子（せきし）、子どもであるという考え。家族国家観というべきものがあります。

こういう考え方が日本を開かれた国にするための妨げになっています。でも、ほとんど無意識のうちに日本国民のあいだで共有されている考え方です。それでも、だんだんそれが変わってきているとは思います。ラグビーのワールドカップを見ていると、リーチマイケル選手が日本代表チームのキャプテンとして出場している。ラグビーでは、ナショナルチームの選手になるためには、その国に3年住んでたらいいというんだから、かなり緩い条件です。琉球国籍もそのぐらいの条件でいいじゃないかとも思う。3年住んだら国籍がとれるみたいな。スポーツの世界はかなり国際化しています。国技といわれる相撲だって、いろんな国の出身者がいる。親方になるためには日本国籍をもてというのは、むずかしい問題をはらんでいると思います。

在日コリアンの問題にかんしても、参政権がほしいのだったら日本国民になればいいじゃないか、日本人になれという議論がある。しかし、私たちは日本人にはなりたくないというのが在日コリアンの気持ちです。民族としての日本人と国籍としての日本国民というのは、ほとんどアイデンティカルが同じになってるから、われわれは朝鮮人だ、だから日本人にはならない。そこで、日本で暮らしていくけれど、日本人にはなりたくない。日本人ではないのだから日本の参政権ももつべきではないという考えの在日コリアンも多い。民族性と国籍と参政権が、ほとんど一致している。これは日本人にもあることですが、在日コリアンにもあると思います。私は国籍とは別に参政権的なもの、ようするに一定の定住的なステータスをもっている人は、少なくとも地方参政権をもつとか、もし琉球が連邦共和国なのであれば、それぞれの島の自治的な組織のなかでは参政権をもつとか。段階があってもいいのかなという気がします。私は琉球が独立して琉球共和国になったときには、日本という国に対する一つのアンチテーゼというか、日本のような国にはならないよという存在になってほしいと思います。「ここは日本とちがうよ、どうだこれをまねしてみろよ」、そんなふうに、国籍とか民族性とかというものについての考え方を日本国民に対して突きつけるようなそういうメッセージを出してもらったらいいなという気がします。

今の日本の国はどんどん息苦しくなっていると思っています。自民族中心主義的な、エスノセントリズムみたいなのがこの10年ぐらいどんどんどんどん高まっている。それでいて、外国人は次々と日本にはいってくるという、このものすごく矛盾した状況があって、私はこの日本の社会はこのままいくとあっちこっちでヘイトが起こるとみています。このままいくとあと20年30年のうちに、ホームグロウン・テロリズム、つまり移民が、その移民先の社会に対してルサンチマン、恨みの気持ちをもって、そのなかでテロを起こすという事件がおきるのではないかと危惧します。すでにフランスやイギリスで起こっていることですが、「移民政策はない」といってはばからない政府のもとでは日本でもいずれそういう国内テロが起きる危険はきわめて高いと思います。琉球はもっと開かれた国になってほしいです。

「島のなかの海」がイメージするもの

松島　じつはこれまでいくつか琉球憲法試案が公開されています。1981年に詩人の川満信一さんが「琉球共和社会憲法私（試）案」を発表しました。彼は沖縄タイムス社の記者、『新沖縄文学（1966〜93年まで発行された総合季刊誌）の編集者でもありました。彼が作った琉球共和社会憲法では、「国」を使わない、「社会」という、国を乗りこえた国といいますか、矛盾しているようでもありますが……。「社会」も、縦型の固い社会ではなくて、横のつながりを重視した社会を実現するための憲法試案です。日本国のような固い縦型社会とは対極な社会が、この憲法で提示されました。国籍にかんしては、次のように記載されています。

「（共和社会人民の資格）第十一条　琉球共和社会の人民は、定められたセンター領域内の居住者に限らず、この憲法の基本理念に賛同し、遵守する意志のあるものは人種、民族、性別、国籍のいかんを問わず、その所在地において資格を認められる。ただし、琉球共和社会憲法を承認することをセンター領域内の連絡調整機関に報告し、署名紙を送付することを要する」（川満信一『沖縄・自立共生の思想――「未来の縄文」へかける橋』海風社、1987年）

つまり、琉球らしい開かれた形の「国籍」であり、この国の一員になりやすい、なってみたいと思わせるような文言が多いです。

遠藤　その琉球憲法草案の第一条は？　日本国憲法は天皇からはじまりますね。

松島　「われわれ琉球共和社会人民は、歴史的反省と悲願のうえにたって、人類発生史以来の権力集中機能による一切の悪業の根拠を止揚し、ここに国家を廃絶することを高らかに宣言する。この憲法が共和社会人民に保障し、確定するのは万物に対する慈悲の原理に依り、互恵互助の制度を不断に創造する行為のみである。慈悲の原理を越え、逸脱する人民、および調整機関とその当職者等のいかなる権利も保障されない」、です。

天皇についての記述はありません。1879年まで、天皇は琉球とは関係ない人ですから。

遠藤　もちろんですね。

松島　琉球は、かつては王政でしたが、現在、王政復古をうたう独立運動はほぼないといっていいです。自分は第一尚氏または第二尚氏の王族の子孫であるという、ある種の誇りみたいに思っている人はいるかもしれないけれども、王家の子孫が、また権力を握ってという話はありえないことです。ハワイにも様々な独立運動があり、そのなかには王政復古の運動もあるようです。ですから将来の琉球共和国の憲法でも、日本国憲法のような天皇条項のようなものはないでしょう。天皇条項を掲げる歴史的意味がありません。皇民化教育、沖縄戦、「近衛上奏」「天皇メッセージ」等、天皇によって琉球は多大の犠牲をうけたのですから。かえって天皇条項がないような憲法をつくるために独立したいという人がいるかもしれません。天皇制とか、日の丸、君が代に対しては、ものすごく抵抗感があります。

遠藤　琉球の人びとにとって、ですね？

松島　琉球人にとってです。天皇制、日の丸、君が代、それらが琉球では、沖縄戦につながっていった。とくに昭和天皇は、米軍基地を琉球に押しつけることを容認したメッセージを発している。琉球共和国には天皇の存在はありえません。

琉球でつくられた憲法試案では、「海」とか、「交流」とか、そういうものを重んじる言葉が多く登場します。ミクロネシア連邦憲法、パラオ共和国憲法でもまさに「海」とか「人とのつながり」とか、そういったものが前文にきています。たとえば、ミクロネシア連邦憲法の前文には次のような言葉があります。「多くの島を一つの国家にするために、われわれは、われらの文化の多様性を尊重する。われらの相違点は、われらを豊かにするものである。海は、われらを結びつけるものであり、分割させるものではない。われらの島は、われらを支え、われらの島嶼国家は、われらを拡張し、われらをより強いものとする。これらの島に居を構えたわれらの祖先は、他民族にとって代わって住みついたものではない。ここに住むわれらは、この島以外の居住地は望まない。戦争を知っているので、われらは、平和を願い、分割されたので、われらは、統一を望み、支配されたので、われらは、自由を求める。ミクロネシアは、人が筏やカヌーに乗って、海の探検に乗り出した時代に始まった。ミクロネシアの国は、人々が星の下に航海をした時代に誕生した。すなわち、われらの世界それ自体が一つの島であった」（矢崎幸生編『ミクロネシアの憲法集』暁印書館、1984年）。すばらしい、自らの島に対する誇りに溢れた、前文の言葉です。

島と国、また、島と国境（それは国籍とも関係するかもしれませんが）のありようを象徴する言葉を、トンガ出身の作家、人類学者のエペリ・ハウオファが語っています。それは「海のなかの島」というのと「島のなかの海」という言葉です。「海のなかの島」は、孤立した島を指しています。18、19世紀以降、日本を含む欧米諸国が太平洋の島々を植民地にしていって、太平洋の上に国境線を引くわけです。ここはアメリカの島だ、ハワイがそうだとか、グアムがそうだとか。イギリスはどこを占領しているか。フィジーはどこに属するか……。そうすると、島は国境線で区切られ、海のなかのぽつんとした孤島になってしまうわけです。そうすると隣の島にはなかなか行けない。そうやって植民地になり、独立して別の国になる。移動が制限され、孤島化すると島が非常に貧しくなる。個々の島はほんとに資源が少ないので、ほかの島から物をもってきたりとか、ほかの島の人と結ばれたりとか、島と島との関係で島というのは存立してきたし、発展してきた。植民地支配はそういった面でも、大きな問題がある。琉球の場合も琉球王国時代は国境がないので、いろんなところと自由に交易ができて、国として存立できました。しかし、日本に侵略され、植民地になると、自由に交流ができなくなる。その意味でも、国境とか国籍による壁とかといったものが低くなるような法制度をつくることが望ましいと思っています。

「島のなかの海」の場合、小さな島と島のあいだに海があって、その海は島とか大陸とかの交流の道、「海上の道」となります。「隔ての海」ではなく、「結びの海」になります。

前川　「島のなかの海」というときの島は複数ですね。

松島　はい、複数です。

前川　「海のなかの島」というときに単数で孤立した島ですね。

松島　単数です。そうです。

公用語をどうするか

遠藤　琉球共和国では公用語は何にするんですか。

松島　そうですね。まず琉球の言葉です。ユネスコが２００９年、世界の絶滅危惧の言語の発表をして、そのなかに琉球諸語がはいっていました。戦前から戦後にかけて、琉球の言葉は日本語の方言に過ぎないといわれてきました。しかし、今はラングエッジ、独立した言語だとユネスコも認めていて、地元の琉球大学、沖縄国際大学などの言語学者も方言ではなく、琉球諸語として研究し、教えています。

前川　諸語ね。

松島　諸語です。

前川　つまり、一つの琉球語ではなくて琉球のいろんな言葉ということですね。

松島　沖縄島の首里、那覇で使ういわゆる「ウチナーグチ」と呼ばれる沖縄語以外にも石垣島、宮古島、与那国島でも別の言語があります。相手が何をいっているのかわからないぐらいです。

前川　石垣と竹富でもちがいますか。

松島　そうですね。目と鼻の先、すぐ近くですけども、竹富語は多少ちがいます。八重山諸島のなかでも、石垣島、西表島もやっぱりちがいます。与那国島となると相当ちがいます。ですからそれぞれの島に言葉があります。そして、島々の歴史や文化も異なり、多様な社会となります。島々の多様性を象徴しているのが、琉球諸語なのです。

しかしながら琉球併呑後、皇民化教育が行なわれました。まずは、日本政府が何をしたかというと会話伝習所という学校をつくりました。沖縄県学務課は『沖縄対話』という教科書をつくって、それで島言葉を話す住民に日本語を教えていくわけです。そこで、教室のなかでいわゆる「ウチナーグチ」、「しまくとぅば（島言葉）」をしゃべったら、方言札という札をかけさせられて、さらし者にされる。そうやって教室から、だんだん琉球の言葉を消していった。とうとう教室でさらし者にするだけではなくて、沖縄戦では日本軍が沖縄語で話した人はスパイとみなして処刑していいという命令まで出しました。日本軍の軍人にとって、なにをいっているかわからないから、もう殺してしまえとなった。住民虐殺の原因としてウチナーの言葉がありました。

戦後、アメリカ軍統治になると日本から切り離されましたが、今度はまたアメリカの軍事統治が非常に厳しかった。憲法も何もなかったので、アメリカ軍人が琉球人を殺したりレイプしても、裁判にかけられずに本国に戻ったりしました。そうすると、日本国憲法、平和憲法があるので日本に戻りたいという復帰運動が、アメリカの過酷な政治の裏返しとして台頭するようになりました。そこで、日本語を勉強しようとか、母国の教科書を使おうという動きが教員のなかでわっと盛りあがる。教員が復帰運動のリーダーになっていきました。屋良朝苗さんも、喜屋武眞榮さんも教員でした。

改めて自己決定権から考えてみます。自己決定権の運動は、米軍基地に反対する運動と同時に言語復興運動とも連動しています。反基地運動と言語復興運動、さらには遺骨の返還運動も民族自決権運動のなかにあります。２０１３年に、「しまくとぅばは独立した言語です。基本的人権の一部である言語権を主張し、しまくとぅばの復興を進めます」という理念のもとに、「しまくとぅば連絡協議会」が設立され、言語復興・継承のためのさまざまな活動をしています。同会の趣意書には次のような言葉があります。「人類にとって言語とは、意思伝達手段であり、民族にとってはアイデンティティを形成する重要な要素、かつ文化遺伝子です。しかし、琉球の歴史や文化、自然と深いつながりを持つしまくとぅばは、1879年の沖縄県設置以降、同化政策によって日本語の中に押し込められ、世代間での継承が阻まれてきました。現在、母語話者は県民の50%を割りました。2008年には国連自由権規約委員会が日本政府に対し、琉球・沖縄の人たちが、民族の言語、文化について学ぶことができるよう十分な機会を与え、通常の教育課程の中に琉球・沖縄の文化に関する教育を導入するよう勧告しました。2009年ユネスコはしまくとぅばを危機言語リストに登録、何らかの策を講じない限り消滅する恐れがあると警告しています。私たちには、しまくとぅばを学び使用する権利があります。私たちが足下を見つめ直し、先祖が残してくれたしまくとぅばとそれによって支えられている伝統文化・芸能に対する自信と誇りを持ち、しまくとぅばを次世代へと継承していくことは、地域の人々との連帯感を強め、生きる喜びを生み出し、輝く未来を築く糧となります」。地元の新聞も、島の言葉で紙面作りをし、テレビやラジオでも琉球の言葉を聞く機会が多くなりました。

問題は、表記文字がないので、漢字まじりのひらがな、カタカナで島言葉を表記していることです。それから「方言ニュース」（方言ニュースという言葉にひっかかりますが）、というラジオ番組や、地元紙での琉球諸語による記事で使われる言葉は、首里や那覇を中心に使われている沖縄語（うちなーぐち）です。ですから、琉球独立後の共通語としては沖縄語になる可能性もあります。しかしながら、宮古、石垣、与那国等の人びとは、やはり、共通語として沖縄語というのはどうかなと思うでしょう。作家の佐藤優さん、外務省の元職員ですが、彼は琉球人と日本人のハーフです。お母さんが久米島出身で、お父さんが日本人です。彼も琉球の言語復興運動に関する提言を行なっています。まずは表記文字を琉球でつくるほうがいいといっています。

前川　文字をつくる?

松島　今は文字がないんですね、琉球文字が。

前川　たしかに日本語と発音がちがうから、ひらがなカタカナで表現しにくい部分ありますね。

松島　研究者によってはローマ字表記でしたほうがいいという人もいれば、漢字まじりの平仮名や片仮名で書く人もいる。琉球国自体も室町幕府や江戸幕府向けに外交文書として漢字平仮名文の文章をつくっています。一方では、漢文、いわゆる中国語の文章もつくっています。

そうした歴史も踏まえて新たな共通語をどうするかというのを議論しているところです。かつてはこんな議論さえも行なえなかった。その背景には、日本語の方言であるという位置づけがあったためですが、そうではない、独自の言語であると、であれば、表記をどうするのかを考えようじゃないかという議論に発展する。

私自身としては、琉球独立後の公用語として、琉球諸語、日本語、英語を考えています。現在、琉球諸語のなかの沖縄語が最も一般的に琉球において利用されているので、公用語の一つに採用される可能性が高いのですが、各島において島の言葉を公用語にしたらいいと思います。また1879年以来、我々琉球人は植民地支配国の言葉つまり日本語の教育を受けて現在にいたりました。今日、島に住むほとんどの琉球人は日本語を理解することができます。日本語とは日本人の「国語」ではありません。人間同士のコミニュケーションツールの一つです。日本語を話したから日本人になるのではありません。私も日本本土のなかで日本語を使う生活を30年以上続けていますが、琉球人であるというアイデンティティが益々強くなっています。在日外国人で日本語を話す人と同じ感覚なのかもしれません。アメリカから独立したパラオ共和国も公用語の一つとして、旧宗主国の言語である英語を採用しています。それから3つ目の琉球共和国の公用語は英語にしたらどうかと考えています。世界の人々との連帯、貿易・外交、経済発展を進め、多国籍の国になるためにも、現在、地球における「多言語の共通語」の一つである英語が公用語になる可能性は高い。独立後の琉球が世界に開かれた国になるという意思表示としての意味もあります。

遠藤　言葉もそうですけど、琉球独自の名前の文化がありますね。私の本でも書きましたが、琉球人の名前が今みたいに戸籍でいう氏と名の形になったのは、明治の琉球併合を経て、内地の戸籍法が沖縄にも施行されてからです。

琉球人の名前について調べてみて私も初めて知りましたが、名と家名が逆になっていました。童名（わらびなー）もある。だから、一人の名前が姓と名だけでなく、5つぐらいの要素から成り立っています。あれは階級とか階層によってちがいますね。

松島　ちがいます。18世紀の琉球の政治家に蔡温という人がいます。これは中国名です。さらに彼の琉球名は具志頭文若（ぐしちゃんぶんじゃく）というんです。もっとくわしくすると、具志頭親方文若（ぐしちゃんおやかたぶんじゃく）。童名は「蒲戸」といいます。「親方」というのは身分を表していて、「具志頭」っていうのは領主をしていた地域を表す名前です。童名は子どものときの名前ですが、いまは童名をもっている人はあまりいないでしょう。こういった名前をもっている人は貴族です。私の祖先のような農民出身の者は……。

遠藤　普通の氏名みたいな。

松島　姓もなかったでしょう。名前しかなかった。皇民化教育の影響、また日本人による差別を恐れて、琉球人らしい名前から、日本人の向けの名前（つまり日本人の名前）に改姓した人も少なからずいるわけです。例をいいますと、日本では「玉城（たましろ）」といいますが、琉球ではもともとは「たまぐしく」だった。それが「たまき」っていうちょっと日本化して。で、「玉城（たましろ）」になるともう日本人向けです。たとえば遺骨の返還運動を一緒に闘っている玉城毅さんという原告がいますが、彼は以前は「たまきさん」と呼ばれていました。運動が始まって読み方を変えました。自分の名前の読み方を本来のものに戻していくことは、先祖と自らの関係を意識し、琉球国の礎をつくった琉球人の子孫であることを自覚して、ご先祖の遺骨を京大から島に返還させたいという強い意思表示につながります。それは植民地における文化復興運動と言えますが、それはさらに独立運動に発展していきます。

前に話しましたが、グアムの首都名を「アガナ」から元々のチャモロ語である「ハガッニャ」に変えただけでなく、島中の道路名、地域名もチャモロ語に変える運動が、その後のグアムにおける独立運動、民族自決権運動の拡大につながりました。そういった意味では言葉は非常に重要です。私は太平洋の島の独立運動も研究していますが、ハワイでもグアムでも、ニューカレドニア、仏領ポリネシアの独立運動でも、独立という政治的な地位の変更を求める運動と同時に、言語復興運動がおきています。ニューカレドニアや仏領ポリネシアにおいて、フランス政府はフランス語を強制的にずっと教えてきました。1970年代ころから、自分たちの言葉、カナック語、タヒチ語等を使って演劇をしたり、詩を書いたり、神に祈りを捧げたりなどの文化復興と文芸運動も起こってくる。島の学校でも自分たちの言葉を教えるようになりました。それと同時に、協同組合運動がおきて、みんなで助け合いながら経済活動をするなど、経済的な独立運動につながっていく。精神的な独立運動の核にあるのは言語復興運動ですね。

前川　その言葉でちょっと私も自分の経験から思い出したことがあります。私は文科省で仕事をしているなかで、2回ほど海外で暮らしたことがありました。1回目は20代の頃にイギリスに留学させてもらいました。現地に行ってみると、イギリスは連合国で、スコットランドとイングランドはもともと別の国だっていう意識が強い。イングランドはアングロサクソンかもしれないけど、スコッツっていうのはもとはケルト人の子孫だという気持ちがある。ウェールズもそうです。ブリテン島でも端っこのほうに行くと、アングロサクソンに追いやられた人たちがもとの言葉をしゃべっている。もう絶滅した言葉もあるんだけど、スコットランドでもまだスコットランド語は残ってるでしょうし、ウェールズ語は日常的に使っているのを目の当たりにした。南西の端っこの半島はコーンウォールといいますが、そこにはコーニッシュという別の言葉があったそうです。これはもう完全に絶滅したと聞きました。コーンウォール語はウェールズ語とよくにた言葉だったそうです。

フランスにも、いろんな言葉があります。ブルターニュ半島にはもともとケルト人の子孫が住んでいて、ブルターニュ語があった。だからウェールズ人とブルターニュ人は、もともとの自分たちの言葉で意思疎通ができたといわれています。私がイギリスに居たときに、イギリスという国はもともと多民族国家で、しかも旧植民地の人たちがどんどんはいってくるから、どんどん混じりあっているなということを感じました。ロンドンの街を歩いてたらいきなり中国語で話しかけられたこともありました。イギリスに2年暮らして日本に帰って東京に帰ってきたら、なんだここは、と、日本人しかいないじゃないかと、かえって奇異な感じがしました。

もう一つ、言葉・公用語の教育という問題です。私は、そのあと30代の頃にユネスコ代表部（フランス）で3年間仕事をしました。ユネスコと日本のＪＩＣＡとが連携して、アフリカのギニアという国に学校の建物を建てていくというプロジェクトに参加というか、そのプロジェクトのための調査ミッションに行けっていわれて、ミッションに加わりました。ＪＩＣＡの専門家、ＪＩＣＡに雇われたコンサルタント会社（これが一番くせ者なんですけど）、ユネスコ事務局でギニアの学校づくりについての青写真というか計画をつくった専門家との混成部隊です。ユネスコと日本の無償資金協力との連携のその最初の試みだというプロジェクトでした。

なぜギニアに学校を建てる必要があったかというと、就学率が高まってきていたからです。1990年頃の話です。ギニアはフランスから独立しましたが、その独立以来ずっと独裁政治をしていた大統領がいて、強い民族主義の下でフランスを追放して、学校でフランス語は使っていませんでした。ギニアにはいろんな部族がいて、言葉がたくさんあるけれど、そのマジョリティの部族の言葉を公用語にした。学校でもその公用語で授業をする、そういう学校教育をはじめました。ところが、公用語で学校教育をはじめるとみんな来なくなった。つまり、フランス語を学べるんだったら行くけど、フランス語を学べないんだったら行かないっていう。就学率がずっと低いままだった。

ところが、長期間、独裁していた大統領が寿命がきて死んだ。体制が変わって、政府が変わったときに教育政策を大きく転換してフランス語をとりいれることになりました。そうしたら就学率がどんどん高まってきて、それで学校が不足するようになって、学校をもっとつくらなきゃいけないという話になったのです。

日本の大学は日本語でむずかしい学問を学べるし研究もするし、日本語の論文もたくさん出ています。日本語の本もたくさんある。でも、日本だって高等教育、大学教育が始まったばかりのころは英語だとかドイツ語だとかフランス語だとかという原書で学ぶことが中心でした。だから、まず旧制高校といえば英語かドイツ語かフランス語かを学んで、とにかく語学に通じるっていうことが高等教育への入り口だった。そういえば、私が大学生のころにも原書講読なんていう課目がありましたね。原書を読む、つまり、外国の学問を外国語で学ぶ。日本の近代の大学教育はまず外国語の書物から学ぶっていうことが学問そのものだった。江戸時代だって蘭学から学んだのですから。つまり、外国語の本、もっと前は漢文ですが、外国語の書物を読解するということを通じてしか学べないという、そういう学び方が一般的だった。

日本の場合は、明六社などの人たちが外国語のいろんな概念を日本語に置きかえていって、日本語を使った学問・高等教育が可能になった。その明治の最初のころに西周(にしあまね)たちがつくった言葉が今では東アジア全体に通用しています。

高等教育と言語ということを考えたときに、日本の場合は日本語化に一応成功したということが言えると思いますが、ギニアの場合はできなかったわけで、フランス語を学ばなければ高等教育を受けられない。現地の言葉で書いた本がほとんどない。図書館に行って勉強しようと思ったらフランス語を勉強するしかないという事情がある。

だから、公用語とか共通語というものも複数あっていいと思います。琉球が独立した場合に、いろんな選択肢があるだろうと思う。高等教育についても複数の可能性があるでしょう。たとえば、日本の国策でつくった沖縄科学技術大学院大学（あのＯＩＳＴっていうのはあまり成功したプロジェクトとは私は思っていませんが）、あれは沖縄の科学技術の拠点をつくるという日本政府の方針で、あそこは英語でやっています。今は日本の大学でも、国際教養大学だとか、早稲田大学の国際教養学部の授業の言語は英語でやっていますね。琉球共和国でどういう高等教育をするのかって考えたときにいろんな言語、この大学では中国語を中心でやってるとか、こっちの大学では日本語中心でやってるとか、こっちの大学は英語を中心でやってるとか、そういうものがあっていいという気がします。

松島　そう思います。やはり、公用語、琉球独立後の公用語は琉球諸語だけだというと、高等教育においてなかなか厳しいものがあります。いまでも日本語が高等教育はじめ、初等中等で使われていますので、公用語としては日本語もあったほうがいいと私も思っています。日本語は日本人だけがしゃべる言語ではなく、ほかの民族がしゃべってもいいわけです。言語は交流、意思疎通の手段ですから。長いあいだ使ってきた現在も使ってる日本語と琉球諸語、そして英語とか、三つぐらいの公用語があって。

前川　連邦制になった場合にはそれぞれのその島ごとの共通語というか、言語があってもいいですしね。

松島　そうです。パラオでは、公用語は英語とパラオ語です。人口2万人の国において、小さな島々では話者が50~60名しかいないような言葉もあります。私はパラオに住んでいたときに思ったのですが、言語、言葉は、意思疎通の手段でもあるけども、その国の国益といいますか、それを守る一つの大きな防波堤にもなるなと思ったことがしばしばありました。

私は日本国大使館で専門調査員の仕事をしていましたが、パラオの議会とか、パラオのいろいろな政府の委員会に行って、傍聴して、本省（外務省）に報告するという、ある種「日本政府のスパイ」みたいなことをしていたわけです。パラオの人たちは何を考えてるんだろう、どういったODAを必要としているんだろう、日本政府の外交政策をどのように認識しているのだろうかを知ろうとしたのです。そう思って聞こうしても、パラオ語で話してますので、まったくちんぷんかんぷんです。ときどき日本語の単語が出てきますけど、基本的にはもうパラオ語ですのでわからない。彼らは、英語も当然ながらしゃべれますが、外国人、外交官がいるところでは、もうパラオ語で議論する。自分たちが何を考えているかということを理解させない、分析させない。自分たちがイニシアティブをとって物事を動かしていく、交渉していくというようなところ、重要なところではパラオ語で話す。レストラン等で、パラオ人との個人的なグループの会話でも重要な話になるとパラオ語に切り替わります。その間、黙って相手の表情を見るしかない。非常に面白い体験でした。

遠藤　喧嘩するときにはパラオ語でやるんですか。

松島　そうですね、感情が上がるとね。本能の言葉っていいますか、内からの言葉もパラオ語で発しているのを聞いたことがあります。

私も琉球に帰ったときに、子どもたちの会話を道を歩きながら聞いています。私が幼い頃と同じイントネーションだなと思いながら聞いています。基本的には日本語ですが、単語単語では簡単な琉球諸語が出てくる。文法やイントネーションに琉球独自な面が今でもみられます。最近では、琉神マブヤーという子ども向けテレビ番組のヒーローが子どもたちに人気があります。琉球の琉に神様、マブヤーは魂という意味の言葉です。琉神マブヤーという琉球の文化を体現したような覆面のヒーローが出てくるドラマが流行っています。そのなかで単語単語で琉神マブヤーが琉球の言葉をいいます。

前川　そうやって言葉を継承していくっていうのはいい方法かもしれない。

（2019年9月25日、明石書店）

資料　琉球共和社会憲法私（試）案／川満信一（『新沖縄文学』48号、1981年6月）

琉球共和社会の全人民は、数世紀にわたる歴史的反省と、そのうえにたった悲願を達成し、ここに完全自治社会建設の礎を定めることを深くよろこび、直接署名をもって「琉球共和社会憲法」を制定し、公布する。

全人民署名（別紙）

琉球共和社会憲法

（前文）

浦添に驕るものたちは浦添によって滅び、首里に驕るものたちは首里によって滅んだ。ピラミッドに驕るものたちはピラミッドによって滅び、長城に驕るものたちもまた長城によって滅んだ。軍備に驕るものたちは軍備によって滅び、法に驕るものたちもまた法によって滅んだ。神によったものたちは神に滅び、人間によったものたちは人間に滅び、愛欲によったものたちは愛欲に滅んだ。

科学に驕るものたちは科学によって滅び、食に驕るものたちは食によって滅ぶ。国家を求めれば国家の牢に住む。集中し、巨大化した国権のもと、搾取と圧迫と殺戮と不平等と貧困と不安の果てに戦争が求められる。落日に染まる砂塵の古都西域を、あるいは鳥の一瞥に鎮まるインカの都を忘れてはならない。否、われわれの足はいまも焦土のうえにある。

九死に一生を得て廃墟に立ったとき、われわれは戦争が国内の民を殺戮するからくりであることを知らされた。だが、米軍はその廃墟にまたしても巨大な軍事基地をつくった。われわれは非武装の抵抗を続け、そして、ひとしく国民的反省に立って「戦争放棄」「非戦、非軍備」を冒頭に掲げた「日本国憲法」と、それを遵守する日本国民に連帯を求め、最後の期待をかけた。結果は無残な裏切りとなって返ってきた。日本国民の反省はあまりにも底浅く、淡雪となって消えた。われわれはもうホトホトに愛想がつきた。

好戦国日本よ、好戦的日本国民者と権力者共よ、好むところの道を行くがよい。もはやわれわれは人類廃滅への無理心中の道行きをこれ以上共に歩むことはできない。

第一章

（基本理念）

第一条　われわれ琉球共和社会人民は、歴史的反省と悲願のうえにたって、人類発生史以来の権力集中機能による一切の悪業の根拠を止揚し、ここに国家を廃絶することを高らかに宣言する。

この憲法が共和社会人民に保障し、確定するのは万物に対する慈悲の原理に依り、互恵互助の制度を不断に創造する行為のみである。

慈悲の原理を越え、逸脱する人民、および調整機関とその当職者等のいかなる権利も保障されない。

第二条　この憲法は法律を一切廃棄するための唯一の法である。したがって軍隊、警察、固定的な国家的管理機関、官僚体制、司法機関など権力を集中する組織体制は撤廃し、これをつくらない。共和社会人民は個々の心のうちの権力の芽を潰し、用心深くむしりとらねばならない。

第三条　いかなる理由によっても人間を殺傷してはならない。慈悲の戒律は不立文字であり、自らの破戒は自ら裁かなければならない。法廷は人民個々の心の中に設ける。母なるダルマ、父なるダルマに不断に聴き、慈悲の戒律によって、社会および自然との関係を正さなければならない。

第四条　食を超える殺傷は慈悲の戒律にそむく。それ故に飢えをしのぎ、生存するための生植動物の捕殺は個人、集団を問わず、慈悲の内海においてのみなされなければならない。

第五条　衆議にあたっては食まずしく、慈悲の海深いものたちの総意を深く聴き、慈悲の海浅いものたちに聞いてはならない。

第六条　琉球共和社会は豊かにしなければならない。衣も食も住も精神も、生存の全領域において豊かにしなければならない。ただし豊かさの意味をつねに慈悲の海に問い照らすことを怠ってはならない。

第七条　貧困と災害を克服し、備荒の策を衆議して共生のため力を合わさなければならない。ただし貧しさを怖れず、不平等のつくりだすこころの貧賤のみを怖れ忌避しなければならない。

第二章

(センター領域)

第八条　琉球共和社会は象徴的なセンター領域として、暫定的に地理学上の琉球弧に包括される諸島と海域(国際法上の慣例に従った範囲)を定める。

(州の設置)

第九条　センター領域内に奄美州、沖縄州、宮古州、八重山州の四州を設ける。各州は適切な規模の自治体で構成する。

(自治体の設置)

第十条　自治体は直接民主主義の徹底を目的とし、衆議に支障をきたさない規模で設ける。自治体の構成は民意と自然条件および生産条件によって定められる。

(共和社会人民の資格)

第十一条　琉球共和社会の人民は、定められたセンター領域内の居住者に限らず、この憲法の基本理念に賛同し、遵守する意志のあるものは人種、民族、性別、国籍のいかんを問わず、その所在地において資格を認められる。ただし、琉球共和社会憲法を承認することをセンター領域内の連絡調整機関に報告し、署名紙を送付することを要する。

(琉球共和社会象徴旗)

第十二条　琉球共和社会の象徴旗は、愚かしい戦争の犠牲となった「ひめゆり学徒」の歴史的教訓に学び、白一色に白ゆり一輪のデザインとする。

(不戦)

第十三条　共和社会のセンター領域内に対し、武力その他の手段をもって侵略行為がなされた場合でも、武力をもって対抗し、解決をはかってはならない。象徴旗をかかげて、敵意のないことを誇示したうえ、解決の方法は臨機応変に総意を結集して決めるものとする。

(領域立ち入りと通過)

第十四条　共和社会センター領域内に立ち入り、あるいは通過する航空機、船舶などはあらかじめ許認可を要する。許認可の条件は別に定める。軍事に関連する一切の航空機、船舶その他は立ち入りおよび通過を厳禁する。

(核の禁止)

第十五条　核物資および核エネルギーの移入、使用、実験および核廃棄物の貯蔵、廃棄などについてはこんご最低限五十年間は一切禁止する。とくにこの条項はいかなる衆議によっても歪曲解釈されたり、変更されてはならない。

（外交）

第十六条　琉球共和社会は世界に開かれることを基本姿勢とする。いかなる国や地域に対しても門戸を閉ざしてはならない。ただし軍事に関連する外交は一切禁止する。

軍事協定は結ばない。平和的な文化交流と交易関係を可能な限り深めることとする。

（亡命者、難民などの扱い）

第十七条　各国の政治、思想および文化領域にかかわる人が亡命の受け入れを要請したときは無条件に受け入れる。ただし軍事に関係した人間は除外する。また、入域後にこの憲法を遵守しない場合は、当人の希望する安住の地域へ送り出す。難民に対しても同条件の扱いとする。

第三章

（差別の撤廃）

第十八条　人種、民族、身分、門中、出身地などの区別は考古学上の研究的意味を残すだけで、現実の関係性においては絶対に差別をしてはならない。

（基本的生産手段および私有財産の扱い）

第十九条　センター領域内では、土地、水源、森林、港湾、漁場、エネルギー、その他の基本的生産手段は共有とする。また、共生の基本権を侵害し、圧迫する私有財産は認めない。

（住居および居住地の扱い）

第二十条　住居および居住地の私有は基本的には認められない。過渡的措置として先住権を保障される。個人、家族、集団の居住に必要な家屋の先住権のみを定められた期間保障し、居住していない家屋および居住地の所有権は所属自治体の共有とする。法人格所有の建物は公有とする。居住地内の土地の利用は憲法の理念に反しない範囲で自由とする。

第二十一条　居住地および住居は生産関係に応じて、個人、家族、集団の意志と、自治体の衆議における合意によって決められる。

（女・男・家族）

第二十二条　女性と男性の関係は基本的に自由である。ただし当事者間の合意を前提とする。夫婦はこの憲法の基本理念である慈悲の原理に照らして双方の関係を主体的に正すことを要する。夫婦のいずれか一方から要請がある場合は、自治体の叡智によってこれを解決する。女・男における私的関係にはいかなる強制も伴わない。夫婦および家族の同居、別居は合意に基づくことを要する。

(労働)

第二十三条　共和社会の人民は児童から老人まで、各々に適した労働の機会を保障されなければならない。労働は自発的、主体的でなければならない。主体的な労働は生存の根本である。

第二十四条　労働は資質と才能に応じて選択し、自治体の衆議によって決められる。

第二十五条　労働が自己の資質において不適だと判断した場合は、自治体の衆議にはかって、自発的、主体的にできる労働を選択することができる。労働の時間は気候、風土に適するよう定める。

(娯楽)

第二十六条　娯楽は労働の一環であり、創意と工夫によって、人類が達成したあらゆる娯楽を人民が選択できるよう自治体、州、共和社会のレベルで機会をつくる。娯楽の享受は平等でなければならない。

(信仰・宗教)

第二十七条　過渡的措置として、信教は個人の自由である。ただし、自治体の衆議で定められた共働、教育方針などには従わなければならない。

(教育)

第二十八条　基礎教育は十年間とし、自治体および州の主体的方法にゆだねる。基礎教育には一定の生産活動への実践参加を含める。

第二十九条　特別な資質と才能を必要とする教育は、自治州および共和社会総体の積極的協力によって十分に行わなければならない。専門教育の期間は定めない。入試制度は廃止し、代わりに毎年試験で進級を決める。

第三十条　共和社会以外の国または地域で教育を受ける必要がある場合は、自治体、州、共和社会全体の推挙によって人選を決める。

第三十一条　すべての教育費用は共和社会の連絡調整機関でプールし、必要に応じて均等に配分される。

第三十二条　共和社会の人民は、個々の資質と才能を適切に、十二分に伸ばさなければならない。ただし、資質と才能および教育の差によって、物質的富の分配に較差を求め、あるいは設けてはならない。

（専門研究センター）

第三十三条　各州に専門教育センターを最低一カ所設置する。さらに共和社会立として高度の専門研究総合センターを設置する。専門研究総合センターの研究員は、各州の専門教育センターの推挙で決める。

第三十四条　各州の専門教育センターおよび共和社会立の専門研究総合センターにおいては、教授と研究生が一体となって、半年毎に研究成果をリポートにまとめ、連絡調整機関へ提出することを要する。

（研究の制限）

第三十五条　総合研究センターにおける研究は基本的に自由であるが、生植動物、物質などを研究対象とし、技術と関連する自然科学領域の研究は、この憲法の基本理念である慈悲の戒律を破らない、と各衆議によって認められた範疇を逸脱してはならない。

（域際間研究の重視）

第三十六条　すべての生産、経済、社会的行為および諸科学の研究にあたっては、自然環境との調和を第一義とする。過渡的な対策として、個別分野の伸展、研究深化よりも域際間の相互調整研究に重点をおかねばならない。

（医師・専門技術職者への試験）

第三十七条　医師その他専門技術職にあたるものは、三年に一回、共和社会の機関が課す資格試験を受けなければならない。

（終生教育）

第三十八条　共和社会の生産をはじめとする諸組織は終生教育の機関であり、人民はつねに創意をもって学び、自己教育に努めなければならない。

（知識・思想の自由）

第三十九条　知識・思想の探求は人民個々の資質と才能の自然過程であり、従って自由である。ただしその蓄積をもっていかなる権力をも求めてはならず、与えてもならない。知識、思想の所産は社会へ還元していかねばならない。

（芸術・文化行為）

第四十条　芸術および文化的所産は共和社会におけるもっとも大事な富である。芸術および文化の領域における富の創造と享受はつねに社会的に開かれていなければならない。創造過程における非社会的な観念領域の自由は抑制したり、侵害してはならない。ただし、社会に還元された所産についての批判は自由である。

（情報の整備）
第四十一条　情報洪水は人間の自然性の破壊につながる。専門研究総合センターでは情報を整備し、憲法の理念にそうよう絶えず努めなければならない。

第四章

（衆議機関）
第四十二条　自治体、自治州、共和社会は直接民主主義の理念からはずれてはならない。衆議を基礎として、それぞれの組織規模に適切な代表制衆議機関を設ける。ただし代表制衆議機関は固定しない。衆議にあたっては勢力争いを禁止し、合意制とする。代表制衆議機関で合意が成立しない場合は、再度自治体の衆議にはかるものとする。

（政策の立案）
第四十三条　各自治体はそれぞれの地域に応じた生産その他の計画を立案し、実施する場合、隣接自治体にもあらかじめ報告し、調整することを要す。その計画が自治体の主体的能力の範囲を越える場合は所属州の連絡調整機関ないしは共和社会連絡調整機関において調整をはかったうえ、主体的に実施し、豊かな社会づくりをめざさなければならない。

（執行機関）
第四十四条　各州および共和社会に連絡調整機関を設ける。連絡調整機関の組織は専門委員会と執行部で構成する。専門委員は各自治体および州、センター領域外に居住する琉球共和社会人民（最低限五人）の推挙と、州立専門教育センターおよび共和社会立専門研究総合センターの推挙する専門家を州および共和社会の代表衆議機関で最終的に人選して決める。各委員会の構成は別に定める。専門委員会は域際調整を十分に行なったうえ、立案し衆議機関へ建議する。衆議機関との調整を経た政策は、専門委員会の監督のもとに執行部で実施される。

域際調整を経てない限り、連絡調整機関はいかなる政策も実施に移してはならない。

（公職の交替制）
第四十五条　公職にあたるものは専門委員を除いて、各自治体および州の衆議に基づいて推挙される。公職は交替制とする。その任期は別に定める。自治体および州の衆議によって、不適格と判断された公職者は任期中でも退任しなければならない。任期を終えた公職者の再推挙は認められる。公職者は要務以外のいかなる特権も認められず、また求めてもならない。

（条例・内法などの扱い）

第四十六条　各州および各自治体に残存する慣例、内法などはとくに慎重に吟味し、祖先たちの叡智を建設的に活かすことを要する。

（請願・公訴）

第四十七条　個人および集団がこの憲法の基本理念である慈悲の原理に照らして、不当な懲戒を受けたと判断する場合は、所属自治体の衆議開催を要求し、懲戒を解くことができる。所属自治体の衆議が分かれた場合は、近接自治体の衆議にはかり、未解決の場合は自治州の衆議にはかる。自治州の衆議が分かれた場合は共和社会の総意によって決める。

（司法機関の廃止）

第四十八条　従来の警察、検察、裁判所など固定的な司法機関は設けない。

第五章

（都市機能の分散）

第四十九条　集中と拡大化を進めてきた既存の都市的生産機能は、各州および自治体の単位に向けて可能な限り分散する。この目的を達成するために生産と流通の構造を根本的に変え、消費のシステムを再編成しなければならない。

（産業の開発）

第五十条　生態系を攪乱し、自然環境を破壊すると認められ、ないしは予測される諸種の開発は、これを禁止する。

（自然摂理への適合）

第五十一条　技術文明の成果は、集中と巨大化から分散と微小化へ転換し、共和社会および自然の摂理に適合するまで努力することを要す。自然を崇拝した古代人の思想を活かさなければならない。

（自然環境の復元）

第五十二条　すでに破壊され、あるいは破壊されつつある自然環境は、その復元に向けてすみやかに対策を講じる。各自治体は自然環境の破壊に厳密な注意を払い、主体的に復元をはからなければならない。復元にあたって、一自治体の能力を越える場合は、近接自治体とはかり、さらに州および共和社会の連絡調整機関にはかって人民の総意と協力によって目的を達成するものとする。

第六章

(納税義務の廃止)

第五十三条　個人の納税義務は撤廃する。

(備荒)

第五十四条　備荒のための生活物質は個人、家族、集団にそれぞれ均等に配分し、それぞれの責任において蓄えるものとする。

いかなる組織および機関も定められた備荒用の物資の量を越えて富の蓄積をしてはならない。

定量を越えた場合は供出し、交易品とする。

(商行為の禁止)

第五十五条　センター領域内における個人および集団、組織などの私的商行為は一切禁止する。共和社会人民間の流通はすべて実質的経費を基準にして成立させる。

(財政)

第五十六条　財政は琉球共和社会の開かれた条件を利用して、センター領域内の資源を生かし、またセンター領域外の共和社会人民と相携えて、従来の国家が発想し得なかった方法を創造しなければならない。

ここに定められた理念、目的、義務を達成するため、琉球共和社会人民は献身的な努力と協力をはかる。

一九八一年五月一五日起草

文献

「琉球共和社会憲法私（試）案」（川満信一『沖縄・自立と共生の思想――「未来の縄文」へ架ける橋』海風社、一九八七年）

〈鼎談出席者紹介〉

佐藤幸男（さとう・ゆきお）

1948年東京生まれ、明治大学大学院政治経済学研究科修了、政治学修士。広島大学平和科学研究センター講師、名古屋大学大学院法学研究科助教授、富山大学教育学部教授、富山大学大学院人間発達科学研究科長、国立大学法人富山大学理事・副学長を歴任。

富山大学名誉教授、早稲田大学総合学術研究機構平和学研究所招請研究員、広島大学平和センター客員研究員。専門分野は、平和研究、アジア太平洋国際関係史、第三世界 / 非西欧国際政治研究。

主な著書：『開発の構造——第三世界の開発・発展の政治社会学』（同文舘出版、1989年）、『世界史のなかの太平洋』（編著、国際書院、1998年）、『国際政治モノ語り——グローバル政治経済学入門』（編著、法律文化社、2011年）、『〈周縁〉からの平和学』（編著、昭和堂、2019年）、『国際関係学講義』（共著、有斐閣、2016年）、『世界政治を思想する』（編著、国際書院、2009年）ほか多数。

上村英明（うえむら・ひであき）

1956年熊本市生まれ。1979年慶應義塾大学法学部政治学科卒業。1981年早稲田大学大学院経済学研究科修士課程修了。1982年人権NGO市民外交センターを創設。2002年恵泉女学園大学に就職。現在、市民外交センター共同代表、恵泉女学園大学教授。専門は、国際人権法（先住民族の権利）、平和学、NGO・NPO・CSO論。日本平和学会理事。

主な著書：『新・先住民族の「近代史」』（法律文化社、2015年）ほか多数。

遠藤正敬（えんどう・まさたか）

1972年千葉県生まれ。早稲田大学大学院政治学研究科博士課程修了。博士（政治学）。早稲田大学台湾研究所非常勤次席研究員。早稲田大学、宇都宮大学等非常勤講師。専攻は政治学、日本政治史。

主な著書：『天皇と戸籍——「日本」を映す鏡』（筑摩選書、2019年）、『戸籍と無戸籍——「日本人」の輪郭』（人文書院、2017年）、『戸籍と国籍の近現代史——民族・血統・日本人』（明石書店、2013年）、『近代日本の植民地統治における国籍と戸籍——満洲・朝鮮・台湾』（同、2010年）等。

〈編著者紹介〉

前川喜平（まえかわ・きへい）

元・文部科学事務次官。現代教育行政研究会代表。1955 年、奈良県生まれ。東京大学法学部卒業。79 年、文部省（現・文部科学省）入省。94 年、文部大臣秘書官。2010 年、大臣官房総括審議官。12 年、大臣官房長。13 年、初等中等教育局長。14 年、文部科学審議官、16 年、文部科学事務次官。17 年、退官。現在、自主夜間中学のスタッフとして活動しながら、講演や執筆を行なっている

主な著書：『面従腹背』（毎日新聞出版、2018 年）。以下いずれも共著、『これからの日本、これからの教育』（ちくま新書、2017 年）、『前川喜平 教育のなかのマイノリティを語る――高校中退・夜間中学・外国につながる子ども・LGBT・沖縄の歴史教育』（明石書店、2018 年）、『ハッキリ言わせていただきます！　黙って見過ごすわけにはいかない日本の問題』（集英社、2019 年）、『生きづらさに立ち向かう』（岩波書店、2019 年）。

松島泰勝（まつしま・やすかつ）

1963 年石垣島生まれ。龍谷大学経済学部教授。専門は島嶼経済論。学知の植民地主義を克服し、近代日本によって奪われた琉球の独立をめざす研究と運動の両輪で活動中。

主な著書：『帝国の島――琉球・尖閣に対する植民地主義と闘う』（明石書店、2020 年）、『琉球　奪われた骨――遺骨に刻まれた植民地主義』（岩波書店、2018 年）、『琉球独立宣言――実現可能な五つの方法』（講談社文庫、2015 年）、『琉球独立への道――植民地主義に抗う琉球ナショナリズム』（法律文化社、2012 年）ほか。

談論風発 琉球独立を考える
――歴史・教育・法・アイデンティティ

2020 年 8 月 30 日　初版　第 1 刷発行

編著者　前川喜平
　　　　松島泰勝
発行者　大江道雅
発行所　株式会社 明石書店
〒 101-0021 東京都千代田区外神田 6-9-5
電話 03（5818）1171
FAX 03（5818）1174
振替　00100-7-24505
http://www.akashi.co.jp/

装　丁　明石書店デザイン室
印　刷　株式会社 文化カラー印刷
製　本　協栄製本株式会社

（定価はカバーに表示してあります）　ISBN978-4-7503-5059-2

前川喜平

教育のなかのマイノリティを語る

高校中退・夜間中学・外国につながる子ども・LGBT・沖縄の歴史教育

前川喜平、青砥恭、関本保孝、善元幸夫、金井景子、新城俊昭 著

■四六判／並製／276頁 ◎1500円

学校や教室で、マイノリティの子ども・生徒の生きづらさに共感し、どうかかわっていけばいいか。日本の学校文化のなかで見過ごされてきたマイノリティ問題にとりくんできた現場の教員と長く教育行政にかかわってきた元文科省幹部職員が現状の問題点とこれからの課題を縦横に語りあう。

●内容構成●

帝国の島

琉球・尖閣に対する植民地主義と闘う

松島泰勝 著

■四六判／並製／384頁 ◎2600円

尖閣諸島の領有は、日本帝国による琉球併呑の延長線上にあった。今日なお、尖閣の領有を主張することは、近代日本の膨張主義を克服できていないに等しい。国際法、地理学、歴史学……あらゆる学問を動員して作り上げた近代日本帝国の植民地主義を、琉球独立の視点から根底的に批判する脱植民地化の道。

●内容構成●

〈価格は本体価格です〉